LA CLAVE

10 reglas
inquebrantables
para construir
un negocio exitoso

Basadas en las enseñanzas de: Napoleon Hill,
Benjamín Franklin, James Allen, J. Paul Getty, Wallace
Wattles, Dr. Camilo Cruz, Russell Conwell, Orison Marden,
R. W. Emerson, M. A. Peale y Daniel Richards

TALLER DEL ÉXITO

LA CLAVE
10 reglas inquebrantables para construir un negocio exitoso

© 2009 · Taller del Éxito Inc.

Editorial Taller del Éxito
1669 N.W. 144 Terrace, Suite 210
Sunrise, Florida 33323, U.S.A.
www.tallerdelexito.com

Editorial dedicada a la difusión de libros y audiolibros de desarrollo personal, crecimiento personal, liderazgo y motivación.

ISBN: 1-931059-55-1

Printed in the United States of America

Primera edición, 2008
Primera reimpresión, Junio de 2009

Índice

INTRODUCCIÓN

¿Cuál es la clave del éxito en los negocios? ¿Qué debemos hacer y qué debemos evitar para crear una empresa exitosa? ¿Comparten los empresarios habilidosos aptitudes especiales que los caracterizan y los distinguen de los demás?

Para responder a estas preguntas hemos desarrollado un práctico manual de negocios con las enseñanzas de algunos de los empresarios, pensadores y emprendedores más influyentes en el mundo de los negocios.

Las diez reglas presentadas en esta obra son de tal importancia para el éxito de cualquier empresa, que se les ha asignado el adjetivo de "inquebrantables". Como descubrirás, ninguna de ellas se refiere específicamente a los mercados, la economía, los productos o las tendencias globales. En cambio, todas se centran en la persona, en el ser humano, hombre o mujer, joven o viejo, con educación escolar o sin ella, que ha tomado la decisión de comenzar su empresa. La razón es simple: la causa que más influye en el éxito o el fracaso que experimentan los negocios, tiene que ver con la actitud y la manera de pensar de las personas que los comienzan.

Éste es, sin lugar a dudas, el mejor manual del éxito en los negocios que hay en el mercado. En conjunto, los autores aquí citados han escrito más de un centenar de libros. Estamos seguros que esta obra enriquecerá la vida de todo emprendedor que desee ser una fuerza positiva en el crecimiento de su negocio y su organización.

—El Editor

Capítulo 1

El concepto de la mentalidad millonaria

Por J. Paul Getty

*T*oda persona desea triunfar, independientemente de lo que esto pueda significar para ella. Todos queremos tener familias exitosas, hijos triunfadores y una relación de pareja ideal. Buscamos la libertad financiera, la salud óptima y la paz y tranquilidad de saber que estamos viviendo una vida balanceada.

En nuestro negocio, aspiramos a conquistar los mayores niveles de productividad, a construir una empresa que perdure a través del tiempo y nos permita lograr la libertad financiera que tanto deseamos. Nadie comienza un negocio pensando en fracasar. Sin embargo, muchos de los negocios que empiezan, fracasan.

Muchas veces la razón es simple: no teníamos la menor idea del mercado en que estábamos entrando, no contábamos con el capital suficiente o el negocio en cuestión era simplemente una mala idea. Otras veces la razón puede ser un poco más compleja: tendencias económicas totalmente fuera de nuestro control hicieron que el negocio fracasara.

Sin embargo, la causa más común del fracaso en los negocios no es ninguno de estos factores. La causa que con mayor frecuencia condena a muchos negocios al fracaso es la actitud y la mentalidad de las personas que los comienzan. Con su manera de pensar, muchos empresarios se convierten en los peores enemigos del éxito de su negocio. Por esta razón, he llegado a la conclusión que para triunfar en los negocios y para lograr las metas financieras que perseguíamos al empezarlos es necesario desarrollar una "mentalidad millonaria".

En general, en lo que respecta a la búsqueda de la libertad financiera, podemos decir que hay cuatro clases de personas.

Primero, están aquellas que son más productivas y trabajan mejor cuando lo hacen para sí mismas en su propio negocio. Después se encuentran las que, por diversas razones, no desean lanzarse a los negocios por su cuenta, pero siempre buscan ocupar puestos prominentes en sus empresas, obtienen los mejores resultados y como consecuencia de ello, participan en los beneficios de las empresas para las cuales trabajan. En la tercera categoría se encuentran los individuos que sólo aspiran a ser empleados asalariados, son reacios a correr riesgos y se conforman con la seguridad de un salario.

Finalmente, están aquellas personas que nunca parecen estar motivadas por ninguna necesidad ni deseo de surgir y se conforman con lo poco que tienen.

Es indudable que hay una manera de pensar que ofrece a ciertos individuos mejores opciones de triunfar que a otros y es la mentalidad millonaria que suele encontrarse entre las personas de la primera y segunda categoría, muy rara vez se encuentra entre aquellos de la tercera categoría y es totalmente inexistente entre las personas de la cuarta. Más importante aún, es comprender que toda persona tiene la opción de decidir en qué categoría desea encontrarse.

La lección es sencilla: Todos tenemos la opción de elegir cuál será nuestro destino, y éste siempre será moldeado por nuestra manera de pensar. Si queremos triunfar financieramente, la libertad financiera debe dejar de ser algo que sería bueno poder alcanzar y debe pasar a convertirse en un hecho que tiene que ocurrir en nuestra vida.

Cómo desarrollar una mentalidad millonaria

Si la idea de lograr la libertad financiera no es una prioridad en tu vida, tu mente no va a estar alerta a todo aquello que te pueda ayudar a alcanzarla. Si de antemano no has programado tu mente con la firme decisión de vivir una vida de abundancia ¿cómo esperas que ella sea tu aliada en esta aventura?

Si programas tu mente con principios de éxito, ella se encargará de mostrarte el camino a la riqueza y de mantenerte alerta, agudizando todos tus sentidos para que logres captar con mayor facilidad toda la información que pueda estar relacionada con tu éxito.

Si utilizas afirmaciones positivas respecto al nivel de abundancia que deseas obtener en tu negocio; si te concentras en metas específicas sobre el número de asociados con el que deseas contar, el número de clientes o volumen de ventas que deseas experimentar, refiriéndote a ellas como si ya fuesen una realidad, estarás agudizando tus sentidos para que estén alertas a aquellas oportunidades que de otra manera podrían pasar inadvertidas.

¿Te has dado cuenta, por ejemplo, que los millonarios parecen percibir las oportunidades antes de que éstas sean evidentes a las demás personas? Rara vez se les escapa una de ellas, debido a que poseen una mentalidad de riqueza.

Tú puedes hacer lo mismo. Todo comienza con una descripción clara y precisa de aquellas áreas de tu vida en las que deseas experimentar abundancia, siendo lo suficientemente específico en cuanto al nivel de riqueza que deseas crear. ¿Cuánto dinero deseas ganar? ¿Quieres empezar tu propio negocio? ¿Cuándo? ¿Qué piensas dar a cambio? ¿Cómo va a beneficiar la creación de esta riqueza la relación con tu familia, con tus hijos o con los demás?

En otras palabras, la libertad económica no puede limitarse simplemente a decir "quiero tener mucho dinero". Primero tienes que crear una imagen mental clara de tu vida en un estado constante de abundancia. Piensa como pensaría una persona para quien la libertad financiera es ya una realidad. Camina como lo haría alguien que goza de abundancia en su vida. Exprésate como si ya poseyeras toda la riqueza que quieres crear en todas las áreas de tu vida.

Muchas personas podrían argüir que la dificultad para lograr el éxito financiero en ciertos países o regiones del mundo, se encuentra en los enormes problemas que enfrentan dichas economías. Sin embargo, cabe anotar que bajo esas mismas circunstancias, cientos de miles de personas y empresas se las ingeniaron para crear grandes fortunas.

Una gran mayoría de estos empresarios y emprendedores han sido seres comunes y corrientes que decidieron darle un vuelco total a su vida porque simplemente estaban cansados de vivir endeudados. Ellos estaban cansados de ganar apenas lo suficiente para sobrevivir y se rehusaron a continuar viviendo de cheque en cheque.

Muchos de nosotros creemos que los empresarios exitosos estaban predestinados para triunfar, que poseían un *gene* especial o una habilidad innata para los negocios, o que heredaron de sus padres el talento para negociar. Sin embargo, si analizamos la vida de los empresarios más exitosos que han existido a lo largo de la historia, veremos que han sido personas comunes y corrientes. Y todo aquel que esté dispuesto a desarrollar esta mentalidad millonaria podrá obtener los mismos resultados.

Es muy común escuchar a la gente quejarse de que los ricos son cada vez más ricos y los pobres son cada vez más pobres. Para esas personas, ésta es una de las mayores injusticias sobre la faz de la tierra; para mí, no es más que el resultado de una decisión personal. Y aunque esta aseveración pueda parecer un tanto insensible, lo cierto es que pese a que aproximadamente un 80% de las riquezas del mundo se encuentran en manos de un 20% de las personas, si juntásemos todas esas riquezas y las repartiésemos equitativamente entre cada uno de los habitantes del planeta, en cinco años dichas riquezas estarían en las manos del mismo 20% inicial.

¿A qué se debe esto? Es sencillo, mientras algunos desarrollan hábitos de éxito y poseen una mentalidad de abundancia que les permite crear y aprovechar oportunidades, otros han adquirido hábitos que les mantienen quebrados financieramente. Ellos poseen una mentalidad de pobreza y escasez, capaz de disipar la más grande de las fortunas.

¿Cuánto tiempo toma desarrollar una mentalidad de abundancia?

La buena noticia sobre la anterior estadística es que todos nosotros podemos tomar la decisión de pertenecer a ese 20% más productivo. Lo único que debemos hacer es estar dispuestos a aprender, crecer y desarrollar los talentos necesarios para triunfar. Sin embargo, es importante entender que la liberación de nuestra creatividad y potencial innato no sucede de la noche a la mañana. El éxito es simplemente el resultado de la dedicación y el esfuerzo continuo.

Muchos empresarios novatos se dan por vencidos al poco tiempo de haber comenzado sus negocios, creyendo que si en unas pocas semanas no han logrado aprender todo aquello que necesitan aprender para triunfar en su negocio, seguramente nunca lo aprenderán. No han entendido que el éxito toma tiempo y exige que trabajemos con paciencia en el desarrollo de dichas habilidades.

El *Proyecto Talento,* llevado a cabo por la Universidad de Chicago hace algunos años, puso en evidencia la disciplina y constancia que se requiere para triunfar. Esta investigación buscaba examinar cuidadosamente las carreras de aquellos científicos, escultores, pianistas, médicos y deportistas considerados como personas brillantes, para descubrir cuánto tiempo les había tomado llegar a la cumbre de su profesión.

En el caso de veinticuatro pianistas de fama mundial, por ejemplo, se encontró que el período de tiempo promedio transcurrido entre la primera lección que tomaron y el primer premio o reconocimiento internacional recibido, era de aproximadamente diecisiete años. Los científicos generalmente toman aún más tiempo. Por su parte, aquellos tenistas que logran grandes éxitos en su adolescencia, generalmente han practicado este deporte disciplinada y rigurosamente desde los tres o cuatro años de edad.

Los investigadores encargados de realizar este estudio concluyeron que las dotes naturales no eran suficientes para lograr tan altos triunfos, a menos que éstas estuviesen acompañadas por un largo proceso de educación, práctica, motivación y sobre todo, disciplina. Así es que liberamos nuestro verdadero potencial, independientemente de que queramos triunfar en las artes, los deportes o los negocios.

Capítulo 2

La ley de la causa y el efecto aplicada a los negocios

Por Russell H. Conwell

*E*n los negocios, como en cualquier otra área de la vida, ganan no los que quieren ganar ni los que esperan hacerlo, sino los que quieren ganar, esperan ganar y están dispuestos a prepararse para triunfar y persistir hasta haber logrado sus metas. A pesar de que algunas personas puedan pensar que el éxito de ciertos empresarios ha sido el resultado de la suerte, las circunstancias o el encontrarse en el lugar correcto en el momento indicado, lo cierto es que su éxito no ha sido más que el resultado de la ley de la compensación.

Esta ley nos dice que toda acción crea su propia recompensa. Los empresarios que actúan guiados por hábitos y principios de éxito verán sus negocios prosperar, ya que el éxito y la prosperidad en los negocios son el resultado de su manera de ser y actuar.

Muchos de aquellos que no triunfan en los negocios buscan desesperadamente una explicación para su mala suerte. Creen que su fracaso es el resultado de la falta de apoyo de sus socios, de la competencia desleal o del egoísmo de sus clientes, que sólo piensan en sí mismos. Nunca se detienen a pensar si la causa de sus fracasos está en su propia manera de pensar o actuar. Porque lo cierto es que para el empresario que actúa correctamente, planea debidamente y se entrega por completo a solucionar las necesidades de sus clientes, el único resultado posible es el éxito de su empresa.

En cierta ocasión en que me encontraba hablando con un grupo de personas sobre las causas que muchas veces no nos permiten triunfar en los negocios les preguntaba:

-¿A qué se dedican?

-"Tengo una tienda en una calle secundaria de mi ciudad" decía alguien, pero estoy tan alejado de los lugares más concurridos de la ciudad que no he podido ganar dinero con mi negocio".

-"¿Desde cuándo tienes esa tienda?", le pregunté.

-"Desde hace veinte años".

-"¡Veinte años!, ¿y aún tú tienda no vale

100.000 dólares? Algo te sucede a ti, no a la calle en la que se encuentra tu negocio, sino a ti".

-"¡Vamos!", respondieron algunos, "cualquiera sabe que si queremos ganar dinero debemos estar situados en el centro de la actividad comercial".

Yo no creo que eso sea necesariamente cierto. Si tienes esa tienda y no estás ganando dinero, habría sido mejor para la comunidad que hubieses salido de ella hace muchos años. Ninguna persona debe dedicarse a los negocios para no ganar dinero. Nadie tiene por qué hacer negocios a menos que saque algún provecho de ello. De igual manera, nadie tiene por qué dedicarse a los negocios a menos que la persona con quien negocia también gane. Esta fórmula ganar-ganar es la base del éxito en los negocios.

Todos cosechamos de acuerdo a lo que hayamos sembrado

En el mundo de los negocios hay una realidad indiscutible: es imposible hacer todo bien y fracasar, o hacer todo mal y triunfar. Es así de simple. El éxito del triunfador es el resultado directo de su entrega, persistencia, amor por lo que hace y deseo de solucionar las necesidades de sus clientes o asociados.

A menos que nos desempeñemos de tal manera que merezcamos que los demás nos ayuden, no podemos realmente decir que estamos dedicados a los negocios. Si estás haciendo bien las cosas, deberías poseer riquezas. No hay ninguna razón por la cual una persona deba estar al frente de una tienda durante veinte años y, aún así, siga siendo pobre.

El problema es que a muchos de nosotros nos sucede lo mismo que me sucedía a mi cuando era joven y trabajaba en la tienda de mi padre. Recuerdo que de vez en cuando me dejaba a cargo de ella, lo cual, por fortuna para él, no sucedía muy frecuentemente.

Un día que yo estaba atendiendo el negocio, llegó un hombre y me preguntó:

-"¿Vende navajas?"

-"No, no vendemos navajas", respondí, y continúe silbando como si nada. Pero fíjense de qué manera atendí a aquella persona.

Después entró otro hombre y me preguntó:

-"¿Vende navajas?"

-"No, no vendemos navajas", contesté nuevamente y continúe distraído sin pensar ni por un segundo en cómo había atendido a esta otra persona.

Más tarde entró otro hombre por la misma puerta y me preguntó nuevamente:

-"¿Vende navajas?"

-"No, no vendemos navajas. ¿Qué le hace pensar a todo el mundo que tenemos esta tienda abierta sólo para abastecer al vecindario de navajas?"

Muchos de nosotros dirigimos nuestros negocios de la misma manera. ¿Sabes cuál es el problema? La dificultad consistió en que yo no había aprendido uno de los principios más fundamentales del éxito en los negocios: Sólo aquel que pone su mayor empeño en servir y en ayudar a los demás, tiene derecho a la ganancia y a la retribución.

Esto no sólo lo dice la Biblia, sino también el sentido comercial de toda persona. Si hubiera estado manejando la tienda de mi padre según un plan de éxito, habría tenido a la venta una navaja para cuando la hubiera pedido la segunda persona.

Sé que algunos de ustedes me dirán: "afortunadamente yo no manejo así mi negocio". Pero si no has ganado dinero, es porque estás manejando tu empresa de la misma manera.

¿Cómo me responderías mañana si yo entrara a tu negocio y te preguntara si conoces a tu vecino? Seguramente dirías:

-"Ah, sí, él vive en la siguiente manzana, y hace todas sus compras en mi tienda".

-"Muy bien, y ¿sabes de donde es él?", te preguntaré.

-"No lo sé".

-"¿Es dueño de la casa donde vive?"

-"No lo sé".

-"¿Van sus hijos a la escuela?"

-"No lo sé".

-"¿Sabes cuál es su orientación política?"

-"No lo sé y no me interesa".

¿Crees tú que te verías en necesidad de contestarme de esa manera mañana por la mañana cuando vaya a tú tienda y haga algunas preguntas acerca de tus clientes? Si es así, eso significa que estás manejando tu negocio del mismo modo en que yo dirigía el establecimiento de mi padre en Worthington, Massachussets.

No sabes de dónde es tu vecino, y no te importa. No te interesa saber si el suyo es un hogar feliz. No sabes a qué iglesia asiste, ni conoces otros intereses significativos para él, ¡y no te importa!

¿Sabes qué? Si hubieras estado suficientemente interesado en tu negocio, al menos para saber qué necesitaban tus vecinos y así suplir sus necesidades, ahora serías un hombre rico.

Nunca se te ocurrió que era parte de tu deber hacer el bien y ayudar a tu vecino a prosperar. ¡Así que no puedes tener éxito! ¿Sabes por qué? Porque iría en contra de las leyes de los negocios y las normas del éxito.

¿Qué derecho tienes a dedicarte a los negocios si no te interesa la gente, ni te preocupas por proveerla de lo que necesita? Así nunca podrás tener éxito.

Afortunadamente, el mundo de los negocios está lleno de historias de empresarios que entendieron que para triunfar necesitaban descubrir las necesidades de sus clientes y responder a ellas con entusiasmo y prontitud. Conozco un comerciante de la ciudad de Boston que amasó una fortuna de quince millones de dólares, y que inició su empresa en las afueras de la ciudad, donde no había más de doce casas en cada manzana y, fuera de eso, existían otros establecimientos comerciales que ofrecían los mismos productos que él vendía.

Sin embargo, su presencia se volvió tan necesaria para la comunidad, que cuando él quiso mudarse a otra ciudad para abrir un negocio de venta al por mayor, los habitantes del pueblo fueron a verlo y le rogaron que se quedara y mantuviera abierta su tienda por el bien de la comunidad.

El hombre siempre había protegido los intereses de esta comunidad. Así que examinó con cuidado lo que la gente deseaba y tomó en cuenta sus necesidades. Era muy buena persona, amable y servicial, de modo que ellos tenían que hacerlo rico. Ese era el único resultado posible. En la misma proporción en que sirvamos a nuestros semejantes, ellos nos retribuirán.

Amigo mío, vas por este mundo pensando que te tratan de manera injusta, y piensas que eres pobre porque no te quieren. Deberías haberte vuelto necesario para el mundo, entonces el mundo te valoraría.

Si le ayudas a otros a lograr lo que ellos quieren lograrás lo que tú quieres

Cuando estés pensando en invertir tu tiempo, tu talento o tu dinero en alguna actividad empresarial y estés tratando de decidir en que campo hacerlo, recuerda echar una mirada alrededor y ver lo que la gente necesita. Entrégate a la tarea de ayudar a otros a solucionar sus necesidades o invierte tu dinero en ello y el éxito estará asegurado.

Algunos de ustedes dirán: "eso se puede hacer en Nueva York o en otras ciudades más grandes, pero no en este lugar donde yo vivo". Claro que sí se puede. Se puede hacer en cualquier lugar. Tú puedes triunfar en cualquier lugar. Y si en algún momento el tamaño de la ciudad llega a ser un problema, recuerda que son las ciudades pequeñas las que generalmente proveen las mayores oportunidades de crear grandes fortunas.

Dedícate a vender lo que la gente quiere. Recuerda que es imposible triunfar en los negocios si sólo estás pensando en tus propias necesidades. Ese es el verdadero secreto.

El mejor ejemplo de que puedes triunfar en cualquier industria o lugar en que te encuentres, cualquiera que sean tus circunstancias, es la historia del señor John Jacob Astor, quien siendo un joven pobre llegó a cosechar una gran fortuna.

Se dice que tenía la hipoteca de una tienda de sombreros para damas, pero que debido a que los arrendatarios de dicha tienda no ganaban lo suficiente para pagar la renta y los intereses, se vio forzado a ejecutar la hipoteca, tomar posesión de la tienda, y para no perder todo, se asoció con la misma gente que había fracasado en este negocio.

El señor Astor mantuvo al antiguo dueño a cargo del negocio, conservó el mismo inventario, y no puso ni un centavo más de nuevo capital. Y mientras que el dueño anterior se quedaba a cargo de la tienda, él se iba y se sentaba en una banca del parque.

¿Qué hacía el señor Astor asociado con personas que habían fracasado en su negocio, y qué hacía allí en el parque? Les aseguro que allí en esa banca, él estaba realizando la parte más importante de ese negocio. Se dedicaba a observar a las damas que pasaban.

Si cruzaba el parque alguna mujer con la cabeza en alto y mirando como si no le importara en lo absoluto que todo el mundo la estuviera observando, entonces John Jacob Astor examinaba el sombrero que llevaba, y antes de que esta dama se perdiera de vista, él ya sabía la forma del sombrero, la ondulación de la cinta, el corte y el color de los adornos que llevaba.

Luego salía inmediatamente para la tienda y ordenaba: "quiero que confeccionen y pongan en las vitrinas y el escaparate de adelante un sombrero como el que les describiré, porque acabo de ver a una mujer a quien le fascina ese tipo de sombrero".

Después iba y se sentaba de nuevo en la banca del parque. Aparecía otra mujer, de tipo y tez distintos, que llevaba un sombrero de otro estilo y color. Él regresaba a la tienda, describía el nuevo sombrero a su socio, y ordenaba que se colocara en la vitrina. Él no llenaba los escaparates de sombreros que nadie quería, para luego quejarse de que la gente pasara de largo e hiciera sus compras en otros establecimientos. No ponía en la ventana ningún sombrero que no supiera que le gustaba por lo menos a una mujer.

¿Qué sucedió? Su compañía se convirtió en la sombrerería de damas más próspera del país. Tomo una empresa que estaba en la bancarrota y sin invertir ni un solo dólar de capital nuevo en el negocio obtuvo de ella más de 17 millones de dólares en ganancias en poco tiempo. John

Jacob Astor tuvo éxito con su tienda como resultado de haberse tomado el tiempo necesario
para descubrir qué tipo de sombreros les gustaban
a sus clientas potenciales. Eso es lo mismo que
todos debemos hacer si deseamos triunfar en los
negocios.

Capítulo 3

Características del líder empresarial

Por Napoleon Hill

*E*xisten tantas definiciones del liderazgo como personas que han tratado de definir el concepto, y aunque a veces resulte difícil definir lo que es un líder, lo cierto es que siempre que vemos uno, lo reconocemos fácilmente.

El diccionario define la palabra *líder* como: "Persona a la que un grupo sigue reconociéndola como guía u orientadora". El liderazgo es la influencia interpersonal ejercida a través de la comunicación y el ejemplo con el objetivo de lograr metas específicas.

Pero esta capacidad va mucho más allá de las palabras. Es la habilidad del líder de decir las cosas, planearlas, y hacerlas de tal forma que otros sepan que tú sabes cómo, y sepan que te quieren seguir. En otras palabras, lo que hace que una persona sea líder es la disposición de la demás gente a seguirla. Obviamente, no podemos olvidar que la gente sólo tiende a seguir a quienes le ofrecen los medios para la satisfacción de sus propios deseos y necesidades.

Por esta razón, en aquellos negocios en que se requiere liderar grandes grupos de personas, una de las mejores definiciones de la palabra liderazgo es la que ofreciera el gran filósofo Lao-Tse: "Cuando el líder ha hecho su trabajo, su gente proclama: lo hemos logrado por nosotros mismos". El verdadero papel de los líderes es facilitar el éxito de su equipo.

Mirando en general el mundo de los negocios podríamos decir que hay dos tipos de personas. A unas se les conoce como líderes, y a otras como seguidores. ¿Cuál es la diferencia entre el uno y el otro? Los verdaderos líderes han sido siempre personas que han sabido dominar, para su uso práctico, las fuerzas invisibles e intangibles de la oportunidad que está por surgir, y han convertido esas fuerzas, ideas o pensamientos, en negocios y en toda clase de invenciones que mejoran la calidad de vida de los demás.

Decídete desde un principio si te propones llegar a ser un líder en tu negocio o si continuarás siendo un seguidor. Pero antes de elegir recuerda que la diferencia en las compensaciones es enorme. El seguidor no puede esperar de manera razonable recibir la misma compensación que el líder, aunque muchos seguidores cometen el error de esperar la misma remuneración.

Quiero que quede claro que no es ninguna desgracia ser seguidor. Por otra parte, tampoco tiene mérito alguno seguir siéndolo cuando podrías liderar. Casi todos los grandes líderes empezaron como seguidores. Llegaron a ser grandes líderes porque eran seguidores inteligentes. Con muy pocas excepciones, la persona que pueda seguir inteligentemente a un líder es quien desarrolla con mayor rapidez la capacidad para lograrlo.

De hecho, cuando examinas detenidamente la vida de aquellos empresarios exitosos y escuchas de sus propios labios las razones que, según ellos, les permitieron triunfar, tarde o temprano saldrá a relucir el nombre de un líder que con su ejemplo, apoyo, o ideas, les mostró el camino hacia la realización de sus metas. La inmensa mayoría de los líderes han tenido mentores en algún momento de su vida; todo empresario que ha llegado a la cima de su carrera lo ha hecho apoyándose en las ideas y enseñanzas de aquellos que vinieron antes que él.

Las características más importantes del líder

Los líderes vienen en todos los tamaños, colores y sabores. Los hay, tanto hombres como mujeres, jóvenes y menos jóvenes, con poca formación escolar y con muchos títulos universitarios. No se pueden reconocer por el color de su piel, su estatura o su país de procedencia. Lo único que todos ellos parecen tener en común es su total disposición para aceptar la responsabilidad absoluta por su éxito. Ellos no están interesados en dar excusas por sus caídas o buscar culpables por sus fracasos.

La buena noticia es que todos tenemos la capacidad de desarrollarnos como líderes. Es indudable que el liderazgo puede ser aprendido, ya que el líder aprende a dirigir, dirigiendo. Las cualidades, habilidades, hábitos, actitudes y demás características propias del liderazgo pueden ser desarrolladas por cualquier persona que así lo desee.

Por esta razón, a continuación quiero compartir algunas de las características más importantes de los líderes. Entiende que todas y cada una de ellas ya se encuentran –en menor o mayor grado— dentro de ti, todo lo que tienes que hacer es estar dispuesto a desarrollarlas:

1. **Autoconocimiento.** Los líderes saben reconocer sus talentos y sus debilidades, y confían en su capacidad para lograr los objetivos que se proponen. Nadie querrá seguir a un líder falto de coraje y confianza

en sí mismo. Ningún seguidor inteligente puede estar mucho tiempo guiado por un líder así.

2. **Autocontrol.** La persona que es incapaz de controlarse a sí misma nunca podrá dirigir a los demás. El autocontrol es un ejemplo poderoso para los seguidores, que los más inteligentes emularán.

3. **Un claro sentido de la justicia.** Sin un sentido de lo que es justo y de la justicia, ningún líder puede dirigir a sus seguidores y mantener su respeto.

4. **Determinación en las decisiones.** Aquel que vacila en sus decisiones demuestra que no está seguro de sí mismo, y no puede conducir a otros con éxito.

5. **Exactitud en los planes.** El líder que tiene éxito planifica su trabajo, y trabaja su plan. Un líder que se mueve por suposiciones, sin planes prácticos ni precisos, es comparable a un barco sin timón. Tarde o temprano acabará contra los arrecifes.

6. **El hábito de hacer más de lo que le corresponde.** Uno de los inconvenientes del liderazgo es el hecho de que el líder debe

estar dispuesto a hacer más de lo que exige a sus seguidores.

7. **Empatía y comprensión.** El líder de éxito es comprensivo con su equipo de trabajo.

8. **Dominio del detalle.** Un liderazgo eficaz exige el dominio de los detalles de la posición del líder. Mientras la persona común y corriente tiende a pasar por alto los pequeños detalles, el líder sabe que son estos lo que muchas veces hacen la mayor diferencia.

9. **Disposición a asumir toda la responsabilidad.** El líder de éxito está dispuesto a asumir toda la responsabilidad por los errores y los fracasos de su equipo. Si trata de eludir esta responsabilidad, dejará de ser el líder.

10. **Cooperación.** El líder de éxito comprende y aplica el principio del esfuerzo y es capaz de impulsar a sus seguidores a hacer lo mismo. El liderazgo requiere poder, y el poder exige cooperación.

Hay dos formas de liderazgo. La primera –mucho más eficaz— es el liderazgo con el consentimiento y el afecto de los seguidores. La segunda, el liderazgo por la fuerza, sin la aprobación ni la simpatía de los seguidores.

La historia está llena de pruebas de que el liderazgo por la fuerza no perdura. La caída y la desaparición de las dictaduras y gobiernos totalitarios es un indicador claro de que las personas no acatarán indefinidamente un liderazgo impuesto a la fuerza. Quizás lo hagan temporalmente, pero no lo harán por su propia voluntad.

La nueva marca del liderazgo abarca los diez factores descritos anteriormente. La persona que haga de ellos la base de su estilo de liderazgo encontrará abundantes oportunidades de liderar en todos los órdenes de la vida.

Los enemigos más comunes del liderazgo

Seguramente todos hemos oído hablar de líderes empresariales, espirituales, políticos, comunitarios o en cualquier otra área del desempeño humano, que de un momento otro parecieron desplomarse de la posición de liderazgo que ostentaban.

En muchos casos, la causa de su fracaso ha estado ligada a comportamientos poco éticos, errores garrafales en su trabajo o negligencia en su manera de actuar. Sin embargo, en el mundo de los negocios, los principales errores cometidos por aquellos líderes que fracasan, tienen que ver con aspectos aparentemente menos significativos y trascendentales, pero igualmente importantes para el buen desempeño de sus equipos de trabajo.

A continuación quiero compartir con los lectores, diez de las trampas en las cuales muchos líderes caen con frecuencia, ya que saber lo que no hay que hacer es tan importante como saber lo que hay que hacer:

1. La incapacidad para planear los diferentes detalles de su negocio. Un liderazgo eficiente requiere capacidad para organizar y controlar los detalles. Ningún líder genuino jamás está "demasiado ocupado" para hacer cualquier cosa que se le pueda pedir en su condición de líder.

   Cuando una persona, ya sea en calidad de líder o de seguidor, admite que está "demasiado ocupada" para cambiar de planes, o para prestar atención a una emergencia, está admitiendo su incompetencia. El líder de éxito debe ser quien controle todos los detalles relacionados con su posición. Esto significa, por supuesto, que ha de adquirir el hábito de delegar los detalles en otras personas capaces.

2. Pobre disposición para realizar actividades que considera están por debajo de su po-

sición. Los líderes realmente grandes están siempre dispuestos, cuando la ocasión lo exige, a llevar a cabo cualquier tipo de labor que se les pida que hagan. Que "el mejor de todos sirva a todos" es una verdad que todos los líderes capaces observan y respetan.

3. Esperar ser compensados o gratificados por lo que "saben" y no por lo que "hacen" con aquello que saben. El mundo no paga a las personas por lo que "saben", les paga por lo que hacen, o inspiran e impulsan a otros a hacer.

4. Temor ante la competencia de los seguidores. El líder que teme que uno de sus seguidores pueda desplazarlo de su posición, tarde o temprano cae como resultado de dicho temor. El líder capaz entrena a otros líderes porque sabe que su éxito siempre debe basarse en ayudar a otras personas a triunfar.

Sólo de ese modo un líder puede multiplicarse y prepararse para estar en muchos lugares, y prestar atención a muchas cosas al mismo tiempo. Es una verdad eterna que las personas reciben más paga por su habilidad para lograr objetivos a través del trabajo de otras personas, que lo que ganarían por su propio esfuerzo.

Un líder eficiente puede, a través del conocimiento de su trabajo y del magnetismo de su personalidad, aumentar en gran medida la eficacia de los demás, e inducirlos a rendir más y mejores servicios que los que rendirían sin su ayuda.

5. Falta de imaginación. Sin ésta, el líder es incapaz de superar las emergencias, y de crear planes que le permitan guiar con eficacia a sus seguidores. La mayoría de conflictos y problemas no resueltos no son el resultado de la falta de alternativas, sino de la pereza mental y la falta de imaginación de las personas involucradas.

6. El Egoísmo. El líder que reclama todo el honor por el trabajo de sus seguidores está condenado a generar resentimientos. El verdadero líder no exige honor alguno. Le alegra ver que los honores, cuando los hay, son para sus seguidores, porque sabe que la mayoría de las personas trabajarán con más entusiasmo por el reconocimiento a su trabajo y aportes, que sólo por dinero.

7. Falta de autocontrol. Los seguidores no respetan a los líderes que no saben controlar sus emociones y su manera de actuar. La falta de autocontrol, en cualquiera de sus diversas

formas destruye la firmeza y la vitalidad de cualquiera que se deje llevar por él.

8. Deslealtad. Quizás esta causa debería encabezar la lista. Los líderes que no son leales con sus organizaciones y con sus equipos, con quienes están por encima de ellos y con quienes están bajo su responsabilidad, no podrán mantener mucho tiempo su liderazgo. La falta de lealtad es una de las principales causas de fracaso en todos los terrenos de la vida.

9. Acentuar la "autoridad" del liderazgo. El líder eficiente enseña mediante el estímulo y no intenta atemorizar a sus seguidores con su "autoridad". Si un líder lo es de verdad, no necesitará anunciarlo, a no ser mediante su ejemplo y su conducta, es decir, con su manera de ser, su comprensión y sentido de la justicia, y demostrando, además, que conoce su trabajo.

10. Insistir en el título de su cargo. El líder competente no necesita "títulos" para obtener el respeto de sus seguidores. La persona que insiste demasiado en su título, generalmente es alguien que no tiene mucho más en qué apoyarse. Las puertas del despacho de un verdadero líder permanecen abiertas para

todos aquellos que deseen entrar, y su lugar de trabajo está tan libre de formalidad como de ostentación.

Entre las causas de fracaso en el liderazgo, éstas son las más comunes. Cualquiera de ellas es suficiente para provocar el fracaso. Estudia cuidadosamente la lista si aspiras al liderazgo, y asegúrate de no cometer ninguna de estas faltas.

Capítulo 4

Cómo nuestra manera de pensar afecta nuestras circunstancias

Por James Allen

*E*n los negocios es común escuchar a ciertas personas decir: "aquel empresario triunfó porque la suerte ha estado de su parte", "la razón de su éxito es que se encuentra en el estado más próspero del país", o "tuvo la suerte de empezar su negocio cuando la competencia era menor".

Lo que todos estos razonamientos pretenden es justificar de alguna manera nuestro bajo rendimiento argumentando que las circunstancias en las que hemos tenido que trabajar no han sido las mejores. Pero lo cierto, es que los grandes empresarios saben que su éxito no es, ni puede ser simplemente el resultado de las circunstancias.

Hay una anécdota que me gusta compartir porque aclara este concepto de manera perfecta. En un congreso de agricultura le preguntaron a un viejo granjero qué terreno le parecía más apropiado para el cultivo de cierto fruto, a lo que él respondió: "No importa tanto la clase de tierra en que se siembre, como la clase de persona que vaya a sembrarla. El labrador preparado en su arte saca provecho hasta del suelo pobre, mientras que el inepto vive en la miseria, aún en el terreno más fértil".

Es así como la calidad de vida o el nivel de éxito en los negocios que cualquier persona experimenta tiene poco que ver con sus circunstancias y mucho con su actitud personal y su manera de pensar. Podríamos decir que las acciones son como retoños que han crecido a partir de nuestros pensamientos, y la dicha o el sufrimiento que cosechemos son sus frutos. De este modo todos los seres humanos cosechan los frutos, dulces o amargos, de aquello que ellos mismos han sembrado. Lo mismo sucede en el mundo de los negocios.

El éxito en el negocio no depende tanto de las circunstancias favorables, como de nuestra actitud mental. Cualquiera es capaz de mantener una actitud positiva y optimista cuando vive en condiciones ideales. Sin embargo, sólo aquella persona que es dueña de sí misma es capaz de conservar una actitud positiva, aún en medio de las condiciones más difíciles y adversas.

¿Qué estás plantando en el jardín de tu mente?

La mente es como un jardín que puede ser inteligentemente cultivado o abandonarse y llenarse de hierbas y maleza. Sin embargo, ya sea que esté cultivado o descuidado, está destinado a producir algo. Si no se siembran semillas útiles, entonces caerán, crecerán y se reproducirán en abundancia semillas de maleza.

Al igual que un jardinero cultiva su parcela manteniéndola libre de maleza, cultivando las flores y frutos que desea, así debe también cada persona que desee triunfar en los negocios atender el jardín de su mente, limpiándolo de pensamientos dañinos e inútiles, y cultivando los frutos de pensamientos correctos y útiles.

Ten siempre presente que todos los pensamientos que nuestra mente engendra se encargan de moldear nuestro carácter, nuestras circunstancias y nuestro destino.

El pensamiento y el carácter son uno solo, ya que el carácter de una persona es la sumatoria de sus pensamientos dominantes y se revela y manifiesta en sus circunstancias. Es indudable que el entorno de cada uno siempre está en armonía con su manera de pensar. Un pobre carácter engendra un negocio mediocre, un carácter sólido es la semilla de grandes empresas.

Esto no significa que las circunstancias de una persona en un momento dado sean un indicador de la totalidad de su carácter, sino que algunas de dichas circunstancias son la consecuencia directa de pensamientos que se encuentran en su mente. Podemos tener diez pensamientos positivos que nos están ayudando a triunfar, pero la presencia de un solo pensamiento negativo puede estar saboteando gran parte de nuestro éxito y nos puede estar deteniendo de utilizar el máximo de nuestro potencial.

Cada persona está donde está por decisión propia. Los pensamientos que han moldeado su carácter la han llevado allí. Nada de lo que ocurre en su vida es el resultado del azar o la coincidencia. Esto es válido tanto para aquellos que se sienten decepcionados con el mundo que los rodea como para quienes están satisfechos con él.

En el proceso del desarrollo humano, cada circunstancia que enfrentamos trae consigo una enseñanza y una lección que debemos aprender; una vez que la hemos aprendido, ésta termina y da lugar a otras circunstancias.

La persona que piensa que su vida es el resultado de condiciones externas suele ser víctima de ellas. Sin embargo, aquella que sabe que las circunstancias nacen de los pensamientos es consciente de que cambiando su manera de pensar cambiará sus circunstancias.

Siempre atraeremos aquello que ya se encuentra dentro de nosotros; tanto lo que amamos como lo que tememos. Las circunstancias son simplemente los medios mediante los cuales recibimos aquello que nos pertenece y que merecemos.

Para los empresarios triunfadores, el éxito nunca les llega por sorpresa. Ellos saben que cada semilla de pensamiento que sembramos y permitimos que eche raíces y crezca en nuestra mente, produce aquello que constituye su esencia y, tarde o temprano, produce sus propios frutos de oportunidad y circunstancias.

Buenos pensamientos producen buenos frutos, malos pensamientos dan malos frutos.

El mundo de las circunstancias exteriores toma forma en el mundo interno de los pensamientos, y todas las condiciones externas, agradables y desagradables, son factores que finalmente existen para que el ser humano aprenda, tanto de sus logros como de sus sufrimientos.

Siguiendo sus más profundos deseos, aspiraciones y pensamientos dominantes –ya sean visiones engañosas, viciadas por la imaginación, o caminos de elevadas aspiraciones— el ser humano finalmente recibe por completo los frutos de dichos pensamientos en la clase de negocio que construye o la clase de vida que termina viviendo.

Una persona no termina en la cárcel debido a la tiranía del destino o a la injusticia de las circunstancias, sino como resultado del camino y los deseos que ha elegido perseguir. Alguien de pensamientos nobles y puros no cae en el crimen de repente, a causa de las presiones o circunstancias externas que le puedan rodear. Lo cierto es que estos pensamientos criminales, seguramente han sido secretamente albergados en el corazón, y la ocasión propicia simplemente se ha encargado de revelarlos.

Las circunstancias no hacen a la persona; ellas simplemente la revelan a sí misma. No pueden existir condiciones que nos hagan descender en el vicio, a menos que existan inclinaciones viciosas previas. Pese a que a muchos les duela aceptarlo, lo cierto es que las personas no atraen hacia ellas aquello que quieren, sino aquello que son.

Lo absurdo de luchar contra las circunstancias

Hay una verdad que no sólo se aplica a la búsqueda del éxito en los negocios sino que es igualmente válida en cualquier otra área de la vida en la que deseemos triunfar: Nunca obtendremos aquello que deseamos, ni pedimos, sino aquello que merecemos.

Muchas personas que con fervor elevan sus oraciones a Dios se quejan de que sus peticiones no son respondidas. Ellas no han podido entender que nuestros deseos y oraciones sólo son gratificados y atendidos cuando nuestras acciones armonizan con nuestros pensamientos. No es suficiente pensar bien, debemos actuar bien.

Por eso nunca he podido entender a quienes se quejan de estar "luchando contra las circunstancias". Su lamento de que no se han podido sobreponer a sus circunstancias no tiene ningún sentido, ya que están luchando contra un efecto que no desean ver en su vida, pero, al mismo tiempo, están alimentando y preservando la causa que genera dicho efecto. Es imposible triunfar si consistentemente actuamos de una manera contraria con los principios del éxito.

Esta manera contraria de actuar puede ser un vicio consciente o una debilidad inconsciente; pero cualquiera que sea, retarda o anula nuestros esfuerzos y necesita ser corregida.

Desgraciadamente, muchas personas están ansiosas por mejorar sus circunstancias, pero no están dispuestas a mejorarse a sí mismas; por eso permanecen atadas al pasado del cual quieren escapar. Quien entiende y reconoce su necesidad de crecer y mejorar, siempre alcanzará los objetivos que su corazón le ha trazado.

Los pensamientos y las acciones buenas, jamás pueden producir malos resultados; mientras que los pensamientos y las acciones malas, no pueden jamás producir buenos resultados. Esto no es otra cosa que afirmar que al sembrar trigo, lo único que podemos cosechar es trigo; si sembramos ortiga cosecharemos ortigas.

Es fácil entender esta ley en el mundo natural, pero muchas personas se rehúsan a creer que funciona de igual manera con nuestros pensamientos y actitudes; por esta razón, actuamos de manera inconsistente con ella. Sin embargo, el sufrimiento siempre es el efecto de los pensamientos equivocados en alguna dirección; es indicador de que el individuo no está en armonía consigo mismo.

Las circunstancias por las que los seres humanos sufren son el resultado de su propia falta de armonía en su manera de pensar, y aquellas que les traen paz y felicidad son el producto de una vida armónica. Este estado de felicidad y paz, y no las posesiones materiales, es la medida del pensamiento correcto; la infelicidad, no la falta

de posesiones materiales, es la medida del pensamiento errado.

Un hombre puede ser desgraciado a pesar
de ser rico en posesiones materiales, o puede
tener pocas posesiones y gozar de una gran paz
interior. La felicidad y la riqueza sólo se juntan
cuando la riqueza se emplea correctamente y
con sabiduría. El éxito y la prosperidad son el
resultado de la armonía entre el mundo interno
de los pensamientos y el mundo externo de las
acciones, y en pocas áreas de la vida es tan fácil
observar este principio en acción como en el
mundo de los negocios.

Capítulo 5

La importancia de estar en tu propio negocio

Por Wallace D. Watles

El éxito en cada negocio específico depende de que poseas las facultades requeridas para ese negocio. Sé que es posible que algunas de las personas que acaban de leer esto estén pensando: "¡Aja! Ésa es la razón por la cual no he triunfado en mi negocio. Lo mejor será renunciar y dedicarme a hacer otra cosa".

Sin embargo, antes de que te apresures a asegurar que la razón por la cual no has triunfado en tu negocio es porque seguramente no cuentas con las cualidades requeridas, quiero que sepas que toda habilidad o actitud que se necesita para triunfar en los negocios puede ser aprendida.

Si bien es cierto que sin talento musical es muy difícil llegar a ser exitoso como intérprete, y que no podemos aspirar a ganar una medalla de oro en una competencia olímpica sin tener aptitudes físicas excepcionales, también lo es que la gran mayoría de los seres humanos poseen cualidades de las cuales ni ellos mismos son conscientes.

Además, el poseer las facultades requeridas en tu vocación no asegura que lograrás el éxito y la riqueza. Hay músicos que tienen bastante talento, y permanecen pobres. Hay carpinteros y mecánicos con grandes capacidades técnicas que nunca se hacen ricos. Y hay empresarios con buenas facultades para tratar con la gente y sin embargo fracasan.

La razón es sencilla, las diferentes facultades necesarias para triunfar son herramientas. Es esencial tener buenas herramientas, pero también es fundamental saber utilizarlas de la manera correcta y en el trabajo adecuado.

Una persona puede tomar la mejor sierra, una escuadra, un buen plano, y construir un bonito mueble. Otra puede tomar las mismas herramientas y ponerse a duplicar el mismo objeto, pero obtener un trabajo mediocre, todo como resultado de no saber cómo usar las herramientas de la manera apropiada.

Las diversas facultades de tu mente son las herramientas con las que debes hacer el trabajo para lograr la riqueza. Así que será más fácil para ti ser exitoso si entras a un negocio en el cual existan las herramientas y los medios que te permitan desarrollar las cualidades necesarias para triunfar en dicho negocio.

Generalmente, te irá mejor en un negocio en el que uses tus facultades más fuertes, una actividad para la cual estés naturalmente "mejor preparado". Sin embargo, es importante precisar que nadie debe creer que su vocación y su destino ya están decididos, como resultado de las aptitudes con que ha nacido.

Ni la persona tímida e introvertida debe apresurarse a creer que nunca podrá triunfar en los negocios debido a su timidez, ni la persona extrovertida debe dar por hecho que su personalidad es todo lo que necesitará para triunfar. Lo cierto es que todos podemos triunfar en cualquier negocio, puesto que si no poseemos las habilidades que éste requiere siempre podremos aprenderlas. Lo único que la ausencia de una habilidad significa es que tendremos que desarrollarla en el camino. Después de todo, es importante entender que el líder aprende a dirigir dirigiendo.

La persona que aspira a ser empresaria, pero cree no ser muy hábil para las ventas o para comunicar sus ideas en público tiene tres opciones: Primero, renunciar a su idea de empezar un negocio por sentir que "no tiene lo que se necesita para triunfar". Ésta es la opción más fácil, pero también es la que ofrece menores opciones de éxito. La segunda opción es esperar hasta lograr aprender dichas habilidades. El problema es que la única manera de aprender es actuando. Finalmente, la manera más acertada es empezar con las habilidades que posea –por pobres que puedan parecer— y continuar desarrollándolas en la medida en que va construyendo su empresa.

Algunas personas podrían argumentar que lo más fácil para cualquiera sería triunfar en una vocación para la cual ya tiene los talentos y habilidades bien desarrollados, pero lo cierto es que nadie nace con sus talentos totalmente definidos o desarrollados. Esto requiere tiempo, dedicación, disciplina y, sobre todo, acción. Puedes triunfar en cualquier vocación para la cual desarrolles el talento necesario. La buena noticia es que no hay ningún talento que no poseas por lo menos en un menor grado.

Es indudable que te harás rico más fácilmente, en términos de esfuerzo, si haces aquello para lo cual estás mejor dotado. Sin embargo, será mucho más satisfactorio el lograrlo, haciendo lo que quieres hacer, así esto requiera más esfuerzo de tu parte y un mayor trabajo en el desarrollo de tus talentos y habilidades.

Hacer lo que tú quieres hacer es vivir. No hay verdadera satisfacción en la vida si siempre estamos haciendo lo que no queremos –por ser más fácil y cómodo— y nunca nos decidimos a hacer lo

que realmente queremos hacer, por el simple hecho que nos saca de nuestra *zona de comodidad*.
Lo cierto es que todos podemos hacer cualquier
cosa que nos propongamos. El que exista en nuestra mente y nuestro corazón el deseo de hacerlo
es la prueba que dentro de nosotros se encuentra
el poder y la capacidad para lograrlo.

Si dentro de ti está el deseo de tocar música,
ese poder buscará expresarse y te permitirá desarrollar el talento que, en mayor o menor grado,
ya reside dentro de ti. De igual manera, el deseo
de crear nuevas empresas y negocios es el talento
emprendedor buscando expresión y desarrollo.
Cuando hay un gran deseo de hacer algo, es una
prueba de que el poder para hacerlo ya existe
dentro de ti, y sólo requiere ser desarrollado y
aplicado de la manera correcta.

De cualquier forma, para lograr la riqueza, lo
más efectivo es buscar un negocio en el cual estés
trabajando para ti mismo, desarrollando los talentos y las habilidades para realizarlo de la manera
más eficiente y haciendo de él tu gran meta.

Comienza desde donde te encuentras en este momento

Muchas personas, erróneamente, piensan que
para empezar un nuevo negocio deben cortar con

todo lo que han venido haciendo hasta ahora. Esto crea un estado de ansiedad y temor que las obliga a posponer indefinidamente su deseo. Pero lo cierto es que tú puedes comenzar desde donde te encuentras en este preciso momento.

Es posible que en la actualidad no estés realizando la clase de trabajo que deseas o que hayan existido situaciones o circunstancias en el pasado que hayan causado que hoy te encuentres en un ambiente inadecuado. De igual manera, es probable que por algún tiempo más debas continuar realizando dichas tareas; pero aún así, puedes hacerlas con placer, sabiendo que son algo temporal, y que estás trabajando en tu plan para construir tu propio negocio y hacer lo que verdaderamente quieres.

Si ésta es tu situación, no te desesperes, ni te precipites, la mejor manera de lograr la transición del trabajo presente al negocio que quieres, es mediante el crecimiento y la preparación continua y constante. Sin embargo, no tengas miedo de realizar un cambio súbito y radical si la oportunidad llegara a presentarse. Asegúrate que es la oportunidad correcta y actúa. Nunca actúes precipitadamente cuando tengas dudas. No hay necesidad de apurarse en el plano creativo, ya que no hay escasez de oportunidades.

Cuando sales de la manera de pensar competitiva vas a entender que nunca necesitas actuar de forma precipitada. Nadie te va a ganar en llegar a aquello que quieres hacer, ya que hay suficiente para todos. Si un espacio es tomado, uno mejor se abrirá para ti después. Cuando tengas dudas, espera. Visualiza en tu mente las metas y sueños que deseas lograr, incrementa tu fe y propósito, mantén una actitud de gratitud, y esto te ayudará a decidir cuál es la mejor decisión que hay que tomar. No obstante, no permitas que las dudas infundadas te detengan y te paralicen.

Los errores vienen de actuar apresuradamente sin tener claridad de propósito, o de actuar con miedo o duda, olvidándose del motivo correcto. Mientras avances de manera correcta por la vida, las oportunidades se multiplicarán, y necesitarás ser muy estable en tu fe y propósito, y sobre todo, deberás mantener siempre un espíritu de gratitud.

Haz todo lo que puedas de la manera correcta cada día. Ve lo más rápido que puedas, pero sin apurarte, sin preocuparte y sin miedo. Cada vez que te sientas apurado, tómate tu tiempo. Fija tu atención en la imagen mental de lo que quieres y empieza a dar gracias de que ya lo estás obteniendo. El ejercicio de la gratitud nunca fallará en reforzar tu fe y renovar tu propósito.

Capítulo 6

Cómo mantener el entusiasmo y la pasión por nuestro negocio

Por Orison Swett Marden

*E*s difícil imaginar lo que lleva a ciertas personas a renunciar a sus sueños, y a preferir emplearse en trabajos contrarios a lo que quisieran hacer, contentándose con ganar lo suficiente para sobrevivir. Malgastamos la vida y debilitamos nuestras fuerzas en esfuerzos y ocupaciones sin sentido.

No hay nada más lastimoso en este mundo que vivir con el tormento de un deseo que parece imposible de lograr. Es como ver a un águila cautiva que lucha contra los barrotes de la jaula que la priva de su libertad. Suspiramos por la libertad de poder levantar el vuelo y desplegar las alas y sin embargo, perdemos nuestro poder porque nos negamos a actuar.

No hay mayor agonía que ver que pasan los años y no parecemos adelantar un paso en la vida; darnos cuenta que el tiempo transcurre sin obtener resultados positivos de nuestro esfuerzo; ver que cada vez se aleja más de nosotros el éxito que tanto anhelamos; ver que la vida pasa y las oportunidades se nos escapan insensiblemente, y sin embargo, sentirnos provocados por el deseo de lograr grandes cosas. Sin acción nuestros sueños se convierten en torturas.

Por esto te ruego que nunca abandones tus sueños y tus deseos de triunfar. No permitas que el entusiasmo con que empezaste tu negocio se marchite. Si olvidamos nuestras aspiraciones y dejamos marchitar nuestro talento, perderemos la seguridad y convicción, y nos abandonarán la paz y la tranquilidad.

El ser humano ha sido creado para la acción. Nada hay tan importante en la vida como hacer lo que amamos y amar lo que hacemos. Cuando es así, el ejercicio mismo de nuestras tareas y actividades diarias es suficiente para motivarnos y estimularnos a continuar moviéndonos. Nadie construyó a la fuerza grandes negocios, pues si no se pone el corazón en ellos faltará la convicción y la fuerza necesarias para realizarlos.

Nada hay que produzca más dolor que creer que somos capaces de nobles empresas, y sin embargo, vernos limitados por circunstancias que creemos ajenas a nuestra voluntad, que nos obligan a ganarnos la vida trabajosamente, cuando hubiéramos podido ganárnosla inteligentemente.

Es muy fácil decir que el ser humano es una criatura que se adapta a todo, y que, por lo tanto, puede acomodarse a cualquier condición que le rodee; pero no permitas que la vida pase de largo mientras tú te conformas con mirar y suspirar por lo que pudo haber sido. Haz que las cosas sucedan. Recuerda que el universo sólo premia la acción.

La desidia es la fuente de la mediocridad

¿Quién se puede imaginar la satisfacción del emprendedor que, tras largos años de batallar por desterrar la pobreza de su vida, logra empezar un negocio y ve como su decisión lo beneficia a él, a su familia y a sus semejantes? ¿Qué diferencia hay entre la persona indiferente, de mente débil, sin propósito definido en la vida y aquella de voluntad inquebrantable cuyas fuerzas internas le empujan a realizar altas empresas?

La persona de éxito sabe que es mucho más satisfactorio el hacer que las cosas sucedan que el admirar lo que otros ya han hecho. Más deleitable es pintar un cuadro que contemplarlo y más satisfactorio construir un gran negocio que admirar uno ya construido.

Un negocio para el cual se tenga aptitud, es una gran escuela, es un poderoso educador del carácter, ya que nos permite fortalecer todas nuestras facultades. La ley de la naturaleza es que se atrofie y se destruya todo cuanto no se ejercita provechosamente, sea una máquina industrial o el cerebro humano.

El éxito es incompatible con la desidia de una vida sin ideales. El ser humano no ha sido creado para permanecer ocioso, necesita de la acción firme y vigorosa para crecer y desarrollarse. El empresario que habiendo persistido en crear un negocio exitoso deja de crecer, pronto comienza a ver como su negocio comienza a desmoronarse ante sus ojos. Dejar de crecer es comenzar a morir.

La felicidad proviene de ejercitar nuestras facultades. Cuando no las utilizamos con frecuencia, se debilitan. Cuando nos negamos a hacer nuestra parte, nuestra vida pierde su sentido de logro. Uno de los aspectos más desconsoladores de la vida moderna es el número cada vez mayor de personas que, al no poseer grandes propósitos ni nobles ideales, quedan esclavizadas por una vida dedicada a subsistir.

Es un hecho que siempre disfrutaremos mucho más de todo aquello que hayamos logrado y adquirido por nuestro propio esfuerzo, que de aquello que hayamos heredado o hayamos obtenido sin esfuerzo de nuestra parte. El perezoso ni siquiera conoce el placer de los días festivos, como la persona laboriosa que se ha ganado su descanso con el fruto de su esfuerzo.

Cuando una persona se entrega a la ociosidad, muy pronto se verá en la incapacidad de reanudar el trabajo y le asaltará el sentimiento de inferioridad frente a las personas laboriosas. No hay en el universo lugar adecuado para el holgazán, pues todo en la vida tiene su provecho, utilidad y servicio, por lo que el ocioso forzosamente será hecho a un lado y considerado como un inútil.

El éxito es el fruto del trabajo inteligente

El filósofo francés Ernest Renan, solía decir: "Nada como el trabajo para infundir amor a la vida. Dichoso el que trabaja". Y que mejor que saber que trabajamos en el logro de nuestros sueños y nuestros ideales, realizando aquello que hemos escogido como vehículo para lograr nuestros deseos. Ésta es la mayor diferencia entre el trabajar arduamente y trabajar inteligentemente.

Erróneamente, muchos miran el trabajo como un castigo. Sin embargo, el trabajo es la mayor bendición, porque la mente activa crece y se desarrolla. Pero cuando no hay gusto por lo que hacemos, y el trabajo se convierte en penosa tortura, perdemos la agilidad mental y la paz del espíritu, condiciones necesarias para continuar creciendo y desarrollándonos. En tal estado es imposible para cualquier ser humano aspirar a vivir una vida de prosperidad.

En el mundo de los negocios es fácil distinguir al empresario exitoso del empresario común. Para el empresario que construyendo su propio negocio busca alcanzar sus sueños y proveer un mejor estilo de vida a su familia, el trabajo es un estímulo y no una molestia. Sus actividades y tareas le producen deleite y nunca son una lucha. Siempre está dispuesto a dar un poco más e ir un poco más lejos de lo que la persona común y corriente está dispuesta a hacer. Esto es lo que lo hace especial. Ésta es la fuente de su éxito.

Por esta razón es tan importante para el empresario realizar dos acciones constantemente. La primera, revisar y tener siempre presente las razones que lo motivaron a empezar su negocio; y la segunda, asegurarse de trabajar en su negocio todos los días. Lo primero le dará significado y razón de ser a su trabajo, y lo segundo le confirmará que sus acciones están siendo consistentes con las metas y objetivos que se ha trazado.

Todo ser humano tiene el deber de trabajar; pero la diferencia está en si trabaja con eficacia, como ser inteligente, o si trabaja a disgusto con la inconsciencia de una máquina. Es verdad que no siempre podemos escoger la ocupación que más nos gusta, pero sí podemos cumplirla con ánimo y predisposición. Y si así lo hacemos, pronto encontraremos la posibilidad de empezar un negocio o trabajar en aquello que nos produzca mayor satisfacción.

Desde luego que nadie se libra en esta vida de contratiempos, sinsabores y disgustos; pero debemos tomar la determinación de que ninguna contrariedad turbará nuestra mente ni quebrantará nuestra felicidad.

Vaya como vaya nuestro negocio, debemos entender que nada producirá tantos frutos como aquella energía que empleemos en ser cordiales con nuestros socios, empleados o clientes. La desconfianza, la dureza de trato, la altanería y la inflexibilidad provocan siempre el fracaso, y muchos empresarios no prosperan en su negocio por la manera brusca y áspera como tratan a los demás, particularmente a aquellos que trabajan con ellos. Su mal trato sofoca en ellos toda iniciativa, desvaneciendo sus esperanzas, matando su confianza y convirtiendo el trabajo en una tortura.

Los empresarios exitosos saben lo importante que es para ellos el bienestar y la felicidad de todas aquellas personas con las cuales trabajan, y comprenden que la mejor inversión es aquella que se realiza en beneficio de los demás, pues tanto más y mejor trabaja una persona cuanto mayor es la recompensa moral y material que recibe por su trabajo.

La actitud mental tiene muchísima importancia en la calidad de nuestro trabajo y en nuestra productividad personal. Si nuestra actitud mental es pobre y negativa, nuestro cerebro no funcionará debidamente, ni nuestras facultades darán todo el fruto posible.

Nunca trabajes con pereza, angustia o desdicha; adueñate de la situación en vez de esclavizarte a ella. Sobreponte a las molestias que turban la paz y la armonía y piensa que tu grandeza no puede morir a causa de pequeñeces. Toma la decisión de dominar cada detalle y tarea de tu negocio con serenidad.

Los empresarios exitosos saben que el éxito de cualquier negocio debe realzar y engrandecer la vida de todos aquellos que con su trabajo sacan adelante el negocio. Ellos saben que no pueden esperar que las personas tengan buen ánimo para trabajar con empeño, si constantemente se ven lastimadas por caras duras y palabras ofensivas.

Una atmósfera positiva y entusiasta en el trabajo es la clave para una mayor productividad y eficacia. Es imposible ser entusiasta y energético si debemos realizar nuestro trabajo en medio de una atmósfera de tiranía y desconfianza. Muchos empresarios pueden mantener una actitud positiva cuando cada aspecto de su negocio marcha tal como ellos lo esperaban. Sin embargo, su actitud sucumbe ante el menor obstáculo.

Nada contribuirá tanto a nuestro éxito como la actitud optimista de verlo todo con buen ánimo y una mente esperanzada y afectuosa. El optimismo es una extraordinaria herramienta, el tener grandes expectativas de nuestro trabajo y el ver a las personas y cosas por el lado más positivo, es la prueba de una mente sana.

Muchas personas son pesimistas porque no ven ninguna relación entre su manera negativa de pensar y los resultados que obtienen de su trabajo y actividades diarias. Ellas no pueden creer que sea posible extraer nada positivo de las circunstancias difíciles y los obstáculos que la vida les presenta.

Cuando una persona termina un trabajo a su entera satisfacción, y sabe que lo ha realizado correctamente, se deleita en su obra y crece el respeto de sí misma. Pocas cosas nos hacen tan felices como saber que hemos utilizado nuestro verdadero potencial en el logro de nuestros objetivos.

Desde luego que hay otras actividades muy divertidas que también nos producen satisfacción y gozo: el viajar, la lectura, los espectáculos, los ratos agradables en compañía de los amigos, la música y los juegos sanos; pero sólo el amor al trabajo realizado en pos del bien nuestro y de nuestros semejantes nos proporcionará satisfacción duradera.

Cómo crecerían nuestros negocios si cada miembro de la organización comenzara el trabajo cada mañana con el entusiasmo del artista que espera impaciente el momento de reanudar su obra, con el ahínco del escritor que ansía terminar las páginas de su libro.

Todos deberíamos dirigirnos al trabajo diario con el gozoso afán de ver nuestro negocio abierto. Así garantizaríamos nuestro éxito. Que gran ejemplo sería este para nuestros hijos, en lugar de meterles en la cabeza la idea de que el trabajo es un castigo impuesto por la dura necesidad de ganarnos el pan de cada día. Convendría enseñarles que la parte material y lucrativa no es la principal, sino tan solo un simple producto del ejercicio de nuestra profesión, pero que el más alto fin es la satisfacción y el orgullo que surgen de hacer nuestro trabajo a conciencia y con carácter.

Capítulo 7

El poder de confiar en ti mismo

Por Ralph Waldo Emerson
y Mark Alexander Peale

"*El* éxito es reír mucho y a menudo; ganarse el respeto de las personas inteligentes y el afecto de los niños; merecer el elogio de los críticos sinceros y mostrarse tolerante con las traiciones de los falsos amigos; saber apreciar la belleza y hallar lo mejor en los demás; dejar el mundo un poco mejor de lo que lo hemos encontrado, bien sea por medio de un hijo virtuoso, de un hermoso jardín o de una condición social redimida; saber que al menos una persona ha vivido una mejor vida gracias a la nuestra. Eso es haber triunfado".

Aunque podríamos pensar que este poema no encierra un principio específico para lograr el éxito en los negocios, lo cierto es que encierra quizás el más importante de ellos, saber que la responsabilidad por nuestro propio éxito reside en nosotros mismos. Esto no es nada difícil si tenemos plena confianza en nuestras habilidades y sabemos que en nuestro interior residen todas y cada una de las cualidades que nos permitirán triunfar.

La persona que se rehúsa a aceptar la total responsabilidad por su éxito, lo hace porque no cree contar con las aptitudes necesarias para lograr sus metas. Por esta razón, para poder aprovechar nuestro verdadero potencial tenemos que empezar por creer que las aptitudes y habilidades que necesitamos para lograr nuestros objetivos ya se encuentran en nuestro interior.

La gran noticia es que lo que se encuentra frente a nosotros, o sea, nuestro futuro, y lo que se encuentra detrás de nosotros –en nuestro pasado— es totalmente insignificante comparado con lo que ya se encuentra dentro de nosotros: nuestro potencial. Sigue esclavo del pasado y siempre serás el mismo, pero si lo tiras por la borda el mundo será tuyo y podrás aprovecharlo tan creativamente como lo desees.

Dentro de cada uno de nosotros existe una fuerza invisible pero real. No me refiero a algo enigmático ni misterioso. Esta fuerza es simplemente la expresión de tus talentos, habilidades, sueños y principios.

El primer gran paso para triunfar es reconocer que esa fuerza poderosa está dentro de nosotros.

La mayor tragedia no es que tan pocas personas triunfen y logren la felicidad, sino que tantas crean que no cuentan con lo que necesitan para triunfar y ser felices. Tristemente, muchas veces llamamos destino a todo cuanto limita nuestro poder. "El destino no ha querido que yo triunfe en los negocios", "es mi destino sufrir", "el destino se ha ensañado contra mí". Ninguna de estas expresiones es cierta. El destino es lo que nosotros hagamos de él. Cada uno de nosotros es arquitecto de su propio destino.

Muchos negocios fracasan, no porque quienes los empezaron no cuenten con el talento y las habilidades necesarias para sacarlos adelante, sino porque ellos ni siquiera creen contar con esas aptitudes. La gran mayoría de las personas que dicen: "yo no sirvo para los negocios" o "yo no soy buena para las ventas", nunca se han dado a sí mismas la oportunidad de descubrir si estas afirmaciones son ciertas o no. Pueden ser grandes empresarios en potencia, pero nunca lo sabrán a menos que confíen en sí mismos y actúen con decisión y valentía.

Tus pensamientos son algo que tú controlas y que tienen su origen en ti. Todo tu pasado, presente y futuro se originan a partir de dichos pensamientos. Tu manera de pensar determina tu manera de actuar y establece tu realidad en cuanto al nivel de salud, riqueza, éxito y felicidad que experimentas en tu vida.

Vivimos la vida que siempre imaginamos vivir. Quien tiene poco es porque seguramente en su mente se ve a sí mismo teniendo poco. Por esta razón es vital que examinemos si nuestros pensamientos han ejercido un efecto limitador en nuestra vida. Si es así, podemos cambiar dicha realidad y liberarnos del yugo de nuestras limitaciones cambiando nuestra manera de pensar.

Los principios del éxito están a la disposición de cualquiera, lo único que debemos hacer es cambiar nuestra forma de pensar. Debemos tener siempre presente que lo que mantenemos en el interior de nuestra mente, con el tiempo, tiende a manifestarse en nuestro mundo exterior.

Reconociendo nuestra propia grandeza

Una de las mayores desgracias que existen es que muchas personas ni siquiera saben reconocer las ideas brillantes y únicas que se forman en el interior de su mente. Las desechan sin tomarlas en cuenta sólo porque son suyas, asumiendo que deben ser de poco valor. Después, estas mismas personas se ven obligadas a reconocer en las obras de otros los mismos pensamientos que ellos desecharon.

Esa es la lección que recibimos cuando rechazamos nuestras propias ideas por falta de confianza en nosotros mismos. Tarde o temprano un extraño dirá con sabiduría magistral precisamente lo mismo que nosotros sentíamos y habíamos venido pensando todo el tiempo, pero que habíamos descartado, y nos veremos forzados a escuchar nuestra propia opinión de labios de otro.

Debemos comenzar a aceptar y reclamar nuestra propia grandeza. Nunca seremos conscientes del poder que reside dentro de nosotros hasta tanto no lo utilicemos en el logro de nuestros propósitos. Muchas personas gastan más tiempo reconociendo y celebrando los talentos de otros —atletas, artistas, emprendedores y científicos— que el que invierten reconociendo y utilizando sus propios talentos y habilidades. De esa manera, su potencial permanece dormido en el interior de su mente y pasa inadvertido sin que ellas se den cuenta de su existencia.

Es muy probable que todas las personas que conocemos sean superiores a nosotros en algún sentido y es por esto que podemos aprender de ellas, sin envidias y sin limitarnos a tratar de imitarlas. Cuando envidias los talentos de otro es porque ignoras tu propio potencial. La imitación es suicida, ya que al tratar de imitar a otro te estás negando a ti mismo. Aprende de los demás pero se genuino y original en tu manera de actuar.

Ninguna persona sabe lo que es, o de lo que es capaz, hasta que lo haya intentado.

No te preocupes demasiado por lo que otras personas hayan podido lograr con sus propios talentos y habilidades. Deja de compararte con los demás y confía en ti mismo. Acepta el sitio que la divina providencia te asignó. Ese debe ser tú punto de partida. Las grandes personas siempre han hecho esto.

¿Dónde está el maestro que pudo haberle enseñado a Pablo Picasso? ¿Dónde está el maestro que pudo instruir a Franklin, a Washington o a Cervantes? Toda gran persona es única. Nadie podrá llegar a convertirse en un Picasso estudiando a Picasso. De igual manera, tú también eres único; tienes talentos y habilidades que sólo tú posees. Ya se encuentran dentro de ti. Lo único que debes hacer es descubrir tu propósito y hacer de él tu misión de vida. Sólo así saldrá a relucir la grandeza que se encuentra en tu interior.

Preocúpate por hacer lo que sabes que tienes que hacer, no por lo que la gente cree que debes o puedes hacer. Esto no siempre es fácil, ya que constantemente te encontrarás con personas que creen saber mejor que tú lo que te conviene. Es fácil vivir en el mundo siguiendo la opinión del mundo; pero la persona grande es aquella que en medio de la multitud sabe quién es.

En su libro: "Refranes para ejecutivos" José María Ortiz Ibarz escribe sobre el origen del refrán "zapatero, a tus zapatos", el cual se refiere a que cada uno debe dedicarse a hacer lo que mejor hace.

La historia dice que Apeles, uno de los más queridos y afamados pintores de la antigüedad, quería conocer la opinión de la gente sobre sus pinturas. Para esto, decidió exponer sus cuadros en la plaza pública, de tal manera que pudiera escuchar los comentarios de las personas que pasaran por allí. Un día, un zapatero que se detuvo a observar una de las obras, criticó la hechura de las sandalias de uno de los personajes que Apeles había pintado. Apeles reconoció su error y prontamente rectificó el defecto señalado. Días más tarde, el mismo zapatero volvió a pasar y al darse cuenta que su sugerencia había sido tomada en cuenta, se sintió con la autoridad para opinar acerca de otras partes de la obra. En ese momento el pintor apareció y le dijo: ¡Zapatero, a tus zapatos!

Ortiz señala dos claras enseñanzas que se pueden extraer de la historia. Por un lado, saber aceptar y aprender de las críticas razonables, y por otro, la necesidad de tener conciencia de cuales son realmente las propias capacidades. Ambas condiciones son imprescindibles para poder mejorar. Es necesario reconocer nuestras propias debilidades, lo cual incluye saber escuchar a aquellos que cuentan con fortalezas en dichas áreas, de manera que podamos aprender de su experiencia. No obstante, no podemos permitir que esto nos ciegue ante nuestras propias fortalezas. Sin confianza en nuestros propios talentos es imposible aprender de otros.

Aprendiendo a vivir en el presente

Un gran enemigo de la confianza en sí mismo es nuestra exagerada preocupación por las acciones o palabras pasadas. Arrastramos con nuestras caídas y nuestras decepciones pasadas y permitimos que ellas se conviertan en un estorbo para nuestras acciones presentes.

¿De qué nos sirve arrastrar con todo eso? ¿No es preferible empezar hoy un nuevo día entendiendo que nuestro futuro no tiene porqué ser igual a nuestro pasado? Pero el ser humano se limita a posponer las cosas o a recordar el pasado; no vive en el presente, sino que volviendo los ojos llora el pasado, o, ignorando las riquezas que le rodean, se sienta a pensar en todo lo que podrá ocurrir en el futuro.

Pero lo cierto es que nunca seremos felices, fuertes y exitosos hasta que no aprendamos a vivir en el presente. La pobreza consiste en sentirse pobre. Es tan fácil para una persona fuerte ser fuerte, como para una débil ser débil. La única diferencia entre las dos es que una de ellas ha decidido enfocarse en sus fortalezas mientras la otra ha optado por enfocar todo su pensamiento en sus debilidades. Cuando actuemos en el presente con total confianza en nosotros mismos nos liberaremos de todas aquellas cadenas que nos atan al pasado.

Pero esto significa actuar con constancia y persistencia. Hoy, cuando un empresario tiene un revés o sufre una caída en su negocio, pierde toda la esperanza. La gente inmediatamente dice: "está arruinado", "eso debe ser una señal de que debe desistir de tal empresa", "seguramente no tienen las habilidades y talentos necesarios para triunfar en dicho negocio".

Tanto él, como la gente que lo rodea, sienten que tienen razón en descorazonarse, y en quejarse el resto de su vida. Olvidan que el éxito es el resultado de la perseverancia, y que las caídas y los fracasos son tan parte del éxito como lo son los logros. El valor, la buena conducta y la perseverancia conquistan todas las cosas y obstáculos que quieran destruirlas y se interpongan en su camino.

No te lamentes de las caídas y las calamidades. Si puedes de algún modo ser parte de la solución, concéntrate en tu trabajo y verás cómo el mal comienza pronto a remediarse. De nada sirve cuando nos sentamos con los que lloran tontamente, y los acompañamos con nuestro llanto, en vez de impartirles la verdad y ponerlos de nuevo en contacto con su propia razón. Hazlo y verás como su confianza en sí mismos comienza nuevamente a solidificarse.

La confianza en uno mismo es el primer peldaño para ascender por la escalera del éxito. Y cuando damos este paso nos damos cuenta que este primer peldaño era más de la mitad del camino.

Capítulo 8

El arte de vivir una vida guiada por principios de éxito

Por Benjamín Franklin

*T*odo aquel que desee triunfar debe entender que si de verdad ama la vida, no puede darse el lujo de derrochar su tiempo, ya que éste es la materia prima de la cual la vida está hecha. Precisamente porque nuestro tiempo en la tierra es tan corto, es que debemos asegurarnos de vivir una vida guiada por principios de éxito. De hecho, creo que debo la felicidad que he podido experimentar al más importante principio del éxito que afortunadamente pude descubrir cuando aún era muy joven: "El mejor servicio que podemos prestar a Dios es hacerle el bien a los demás".

Basado es esta idea central, y sabiendo que para dar lo mejor de nosotros, debemos siempre buscar ser lo mejor que podamos ser, concebí el arduo y audaz proyecto que me permitiera vivir una vida guiada por principios y virtudes sólidos. Estoy convencido que éste es el fundamento más importante para alcanzar el éxito en los negocios y en cualquier otra área de la vida.

Si de verdad deseamos realizar un cambio profundo en nosotros mismos, en nuestras familias y en el mundo que nos rodea, debemos empezar por buscar que exista en nuestra vida un estado de mayor correspondencia entre nuestras acciones y los valores que sabemos que deben guiar nuestra vida.

Aunque siempre supe que la búsqueda de la perfección moral sería una tarea difícil, estaba convencido que al final, sería un mejor ser humano por haberlo intentado. Así que me propuse lograrlo ya fuese por inclinación natural, costumbre o buenas compañías que me condujeran a ello. Como ya sabía –o creía saber— lo que estaba bien y lo que estaba mal, no me explicaba por qué no podría hacer siempre lo primero y evitar lo segundo.

Cómo identificar los valores que guíen nuestra vida

Una de las primeras cosas que descubrí es que querer ser virtuoso no es suficiente para evitar las faltas y los deslices; hay que romper con los viejos hábitos que nos mantienen atados a una vida de pobreza y mediocridad y adquirir otros nuevos. Sólo así podría entonces confiar en una rectitud de conducta constante. Con este fin, puse en práctica un método que me parece muy apropiado para todo aquel que, al igual que yo, busca que su manera de actuar siempre esté guiada por principios y valores sólidos.

En mi afán por lograr una mayor claridad acerca de los valores y virtudes que me ayudaran a vivir una vida balanceada, plena y feliz, resolví identificar las muchas virtudes que debían proveer dirección a mi vida y me di a la tarea de definirlas en pocas palabras, en términos precisos, evitando las definiciones demasiado amplias y confusas. Posteriormente, busqué adquirir cada una de las virtudes anotadas, una por una, manteniendo notas diarias acerca del progreso en cada tarea.

Incluí, en una lista de trece nombres, todas las virtudes que en esa época me parecían necesarias o deseables. A cada una le anexé una pequeña definición que expresaba completamente el significado que yo le daba.

Los nombres de estas virtudes, junto con sus definiciones, eran los siguientes:

1. *Templanza.* No comas hasta sentirte harto. No bebas hasta la ebriedad.

2. *Silencio.* No hables más que aquello que pueda beneficiar a otros o a ti mismo. Evita las conversaciones triviales.

3. *Orden.* Ten un lugar para cada una de tus cosas. Ten un momento para cada parte de tu trabajo.

4. *Resolución.* Comprométete a llevar a cabo lo que debes hacer. Haz sin falta lo que te comprometes a llevar a cabo.

5. *Frugalidad.* No gastes más que en lo que pueda hacer el bien a otros o a ti mismo. No desperdicies nada.

6. *Trabajo.* No pierdas el tiempo. Ocúpate siempre en algo útil. Elimina todo acto innecesario.

7. *Sinceridad.* No lastimes a nadie con engaños. Piensa con inocencia y con justicia. Si hablas, hazlo de acuerdo con esto.

8. *Justicia.* No perjudiques a nadie, ni haciéndole daño, ni omitiendo lo que es tu deber.

9. *Moderación.* Evita los extremos. No guardes resentimientos tanto tiempo como puedas creer que lo merecen.

10. *Limpieza.* No toleres la falta de limpieza, ni en el cuerpo, ni en la ropa, ni en la vivienda.

11. *Serenidad.* No te dejes alterar por pequeñeces, ni por accidentes comunes o inevitables.

12. *Castidad.* Recurre al acto sexual rara vez, pero nunca hasta sentirte harto, y sin que llegues a afectar tu propia paz o reputación, o la de otra persona.

13. *Humildad.* Imita a Jesús y a Sócrates.

Como mi intención era adquirir todas estas virtudes, juzgué que sería mejor no distraerme intentando todo al mismo tiempo. Mejor buscaría dominar una la vez, y después de haberlo logrado pasaría a la siguiente, hasta que hubiera terminado con las trece. Como me parecía que la adquisición de algunas virtudes debería facilitar el logro de otras, decidí escribirlas en el orden de prioridad en que aquí aparecen.

Me pareció entonces que sería necesario hacer un examen diario para evaluar mi progreso y no caer víctima del autoengaño. Con este fin hice un pequeño libro en el cual asigné una página para cada una de las virtudes. Resolví dedicar una semana de estricta atención a cada una de ellas.

En la primera semana me mantuve en guardia para no cometer ni la menor ofensa contra la

Templanza, dejando las otras virtudes a la intención ordinaria y sólo marcando las faltas del día. Así, si en la primera semana podía tener la fila de la Templanza limpia de marcas, suponía que el hábito de esta virtud se había fortalecido tanto y su opuesto se había debilitado tanto que podía continuar con la siguiente virtud.

Procediendo de esta manera, hasta llegar a la última, haría el curso completo en trece semanas y podría hacer cuatro cursos en un año. Y así como el que, teniendo un jardín, no intenta desyerbarlo todo de una sola vez, sino que trabaja por partes, así yo tendría el gusto de ver en mi libreta el progreso que iba haciendo. Empecé este plan de auto examen y seguí con él, con ocasionales interrupciones. Me sorprendió ver que tenía muchas más faltas de las que había pensado, pero tuve la satisfacción de ver cómo disminuían con el paso del tiempo.

En esta libreta también tenía escritas afirmaciones que me ayudarán a cimentar aún más estos valores y principios. Y, como considero a Dios fuente de sabiduría, me pareció correcto y necesario solicitar su ayuda. Con este fin inventé la pequeña oración que sigue para recordarla diariamente.

"¡Oh, Dios poderoso, Padre generoso, Guía misericordioso!

Acrecienta en mí esa sabiduría que revela mis intereses más verdaderos. Fortalece mi resolución para llevar a cabo lo que esa sabiduría me dicte".

La virtud del orden fue lo que más trabajo me costó. No había sido metódico desde temprana edad y, como tenía una memoria excepcionalmente buena, tendía a confiar en ella, y no me había dado cuenta de las grandes inconveniencias que vienen como resultado de trabajar de una manera desorganizada y falta de método.

Este aspecto me costaba tanto trabajo, mis faltas con él me disgustaban tanto y era tan poco lo que progresaba, que estuve a punto de darme por vencido y contentarme con un carácter deficiente en esta área.

Supongo que éste habrá sido el caso de muchas personas que, al encontrar dificultades para mejorar y romper viejos hábitos, se han dado por vencidas. Y aunque nunca llegué a la perfección que tanto ambicionaba, el esfuerzo de intentarlo me hizo un hombre mejor y más feliz de lo que hubiera sido de no haberlo hecho.

A la templanza le debo la larga salud que siempre me acompañó. Al trabajo y a la frugalidad les debo el haberme ayudado tempranamente a lograr una vida cómoda y la adquisición de una buena fortuna, junto con todo el conocimiento que me hizo un ciudadano útil. A la sinceridad y a la justicia les debo la confianza de mi país y los honorables cargos que me fueron encomendados. Y a la influencia combinada de todas las virtudes, incluso de la manera imperfecta en que las adquirí, le debo lo parejo de mi carácter y esa conversación alegre gracias a la cual aún, hasta los más jóvenes, buscan muchas veces mi compañía.

Por lo tanto, espero que algunos de mis descendientes sigan el ejemplo y cosechen el beneficio de vivir una vida orientada por la virtud. Espero que entiendan que las acciones viciosas no hacen daño porque estén prohibidas, sino que están prohibidas porque hacen daño.

No puedo jactarme de mucho éxito en la adquisición de la virtud de la humildad, pero por lo menos convertí en regla, evitar toda contradicción directa con respecto a los sentimientos de los otros y toda afirmación tajante de los míos. Cuando alguien afirmaba algo que me parecía un error, yo me negaba el placer de contradecirlo abruptamente o de mostrarle de inmediato lo absurdo de su proposición. Empezaba observando que, en ciertos casos o circunstancias, su opinión podía ser correcta, pero que, en el presente, me parecía encontrar una diferencia.

Pronto comprobé las ventajas de este cambio. Mis conversaciones eran mucho más amenas. La forma modesta en que hacía mis observaciones generaba mayor receptividad a mis ideas y menos objeciones.

Este hábito, que al principio significó forzar tanto mi tendencia natural de querer confrontar y corregir a los demás, a la larga se volvió tan fácil y natural en mí que, creo yo, fue una de las razones por las que pude influir tanto en la opinión de mis conciudadanos.

Todos nosotros tenemos la intención de ser virtuosos porque deseamos ser felices. Lo importante es entender que no sólo la felicidad emana de una vida virtuosa, sino el éxito en los negocios, la abundancia y la libertad financiera. Siempre ha habido en el mundo empresarios muy ricos que han recurrido a medios honestos para conducir sus asuntos. Su ejemplo demuestra que la rectitud y la integridad son las cualidades que con más probabilidad hacen la fortuna de una persona.

Capítulo 9

La gran importancia del trato personal en los negocios

Por Dr. Camilo Cruz
(Basado en las enseñanzas
de Dale Carnegie)

*E*n el mundo de los negocios nuestro éxito depende en gran medida de la capacidad para comunicar nuestras ideas con entusiasmo y efectividad, y de la habilidad para desarrollar relaciones positivas con las demás personas. Pero ser efectivo en la comunicación no es simplemente informar con claridad. Los libros informan, los seres humanos comunican. Ser comunicadores efectivos es transmitir el entusiasmo y la pasión que sentimos por nuestro negocio, es crear una atmósfera de confianza donde sea fácil que tu mensaje llegue a la mente de quien te escucha, de manera que puedas persuadir e influir en sus decisiones.

Lo que verdaderamente perseguimos en una reunión de negocios es poder crear confianza en las demás personas, de manera que nuestras ideas sean escuchadas y aceptadas, y tengan la posibilidad de influir en ellas. ¡Eso es todo!

Siempre que transmitas cualquier idea, lo primero que el cerebro de quien te escucha estará buscando responder es: ¿Es esta persona amiga o enemiga? ¿Inspira confianza o desconfianza? Y basado en lo que determine, permitirá o evitará que tu mensaje llegue al centro de toma de decisiones de su cerebro.

¿Cuántas veces, quizás tú mismo, has perdido una gran oportunidad porque no lograste que otra persona ni siquiera te escuchara con total atención? Estaba oyéndote, pero tú podías ver que tu mensaje no le estaba llegando.

¿Cómo lograr que la presentación de nuestro negocio sea realmente escuchada? Lo podemos hacer, no con la lógica de la información, cifras y estadísticas que tengamos a mano, sino con la confianza, el entusiasmo y la armonía que inspire nuestra manera de hablar y nuestro lenguaje corporal.

Es posible que estés pensando que esa no es tu personalidad, que tú no eres así, que no eres extrovertido, que te pones nervioso al hablar en público o que no tienes la capacidad de persuasión. Sin embargo, si quieres triunfar en tu negocio, si quieres tener mejores relaciones con las demás personas y deseas poder influir positivamente en su vida, debes aprender cómo llegar a la mente de quien te escucha.

Y aunque mucho se ha escrito sobre el te...
pocos libros han logrado proveernos tantas herramientas para desarrollar mejores relaciones
con las demás personas como lo ha hecho, *Cómo
ganar amigos e influir sobre las personas,* de Dale
Carnegie. Basado en sus enseñanzas, las siguientes recetas te permitirán atraer más personas a tu
negocio, crear clientes más leales y aumentar la
productividad de tu equipo.

1. No critiques ni condenes a los demás.
¿Has caído alguna vez en la trampa de la "crítica
constructiva" versus la "crítica destructiva"? Para
demostrar lo absurdo de este dilema, cierto escritor
decía que: "crítica constructiva es la que uno hace
de otra persona, mientras que la crítica destructiva
es la que otras personas hacen de uno".

Lo cierto es que criticar es inútil porque lo único
que logra es poner a la otra persona a la defensi-
va y obligarla a tratar de justificarse de cualquier
manera. La crítica es peligrosa, porque lastima
el orgullo y despierta resentimientos. En lugar de
censurar a la gente, tratemos de comprenderla.
Tratemos de imaginarnos por qué hacen lo que
hacen. "No juzgues si no quieres ser juzgado".

Es importante tener siempre presente que
cuando tratamos con otras personas no estamos
tratando con criaturas lógicas, frías y calculadoras.

Estamos tratando con seres emotivos que basan sus decisiones en sus emociones. Vale la pena recordar lo que Benjamín Franklin solía decir: "No hablaré mal de persona alguna y de todos diré todo lo bueno que sepa".

2. Demuestra aprecio honesto y sincero. Sólo hay un medio para conseguir que alguien haga algo, y es hacer que esa persona quiera hacerlo voluntariamente porque le es productivo.

Charles Schwab, el gran magnate del mundo de las finanzas, decía: "considero que el mayor bien que poseo es mi capacidad para despertar entusiasmo entre las personas. La manera más efectiva de sacar a relucir lo mejor que hay en los demás es por medio del aprecio y el aliento. No hay nada que mate más rápidamente el deseo de triunfar de una persona que las críticas de sus superiores. Yo jamás critico a nadie. Creo que se debe dar a una persona un incentivo para que trabaje. Por eso siempre estoy deseoso de elogiar, pero tardo para encontrar defectos. Si algo me gusta, soy caluroso en mi aprobación y generoso en mis elogios".

Cuando estamos construyendo un negocio con nuestro cónyuge, con frecuencia damos por sentada su presencia y su apoyo, y muy pocas veces le manifestamos nuestro aprecio. Lo mismo suele suceder con nuestros hijos, amigos y asociados. En ocasiones estamos más preocupados por alimentar sus cuerpos pero muy pocas veces nos ocupamos de alimentar su propia estima.

La diferencia entre la apreciación y la adulación es muy sencilla. Una es sincera y la otra no. Cada vez que trato con alguien pienso: "pasaré una sola vez por este camino; de modo que cualquier bien que pueda hacer o cualquier cortesía que pueda tener con cualquier ser humano, que sea ahora. No la dejaré para mañana, ni la olvidaré, porque nunca más volveré a pasar por aquí".

3. Despierta en los demás un deseo ardiente. Uno de los medios más efectivos de que disponemos en los negocios para influir sobre otras personas es hablar acerca de lo que ellas quieren, y demostrarles cómo conseguirlo. Es claro que la acción sólo surge de nuestra motivación por alcanzar aquello que deseamos profundamente. De manera que la mejor forma de ser persuasivos, ya sea en los negocios, en el hogar o en la escuela, es despertar en la otra persona un deseo profundo. Quien puede hacerlo tiene al mundo entero consigo. Quien no puede, marcha solo por el camino.

De acuerdo con Henry Ford, uno de los secretos más importantes del éxito consiste en la capacidad para apreciar el punto de vista de los demás y ver las cosas desde esa perspectiva así como de la propia.

Si un vendedor puede demostrarnos que sus servicios o sus productos nos ayudarán a resolver nuestros problemas, no tendrá que esforzarse por vendernos nada. Los pocos individuos que sin egoísmo tratan de servir a los demás tienen enormes ventajas. No hay competencia contra ellos. El gran empresario e industrial Owen D. Young, fundador de la RCA, solía decir: "La persona que se puede poner en el lugar de los demás y puede comprender el funcionamiento de la mente ajena, no tiene por qué preocuparse por el futuro de su negocio".

4. Interésate sinceramente por los demás. Se pueden ganar más amigos en dos meses si se interesa uno en los demás, que los que se ganarían en dos años tratando de hacer que los demás se interesen en nosotros. El individuo que no se interesa por sus semejantes es quien tiene las mayores dificultades en la vida y causa las mayores heridas a los demás. El interés, lo mismo que todo lo demás en las relaciones humanas, debe ser sincero.

De igual manera, sea caluroso en su aprobación y generoso en sus elogios. "El elogio es como la luz del sol para el espíritu humano; no podemos florecer y crecer sin él. Y aun así, aunque casi todos estamos siempre listos para ofrecerle a la gente el viento frío de la crítica, siempre sentimos cierto desgano cuando se trata de darles la cálida luz del elogio", comentaba el psicólogo Jess Leir. Las capacidades se marchitan con las críticas y florecen con el estímulo.

5. Sonríe con frecuencia. Hay un proverbio chino que dice: "El hombre cuya cara no sonríe no debe abrir una tienda". Las acciones dicen más que las palabras, y una sonrisa expresa: "Me gusta usted. Me causa felicidad. Me alegro de verlo". No puede ser una sonrisa fingida o interesada, sino una sonrisa sincera, que alegre el corazón y que venga de adentro. Tenemos que disfrutar el poder encontrarnos con la gente, si esperamos que ellos disfruten y la pasen bien cuando se encuentran con nosotros.

Todo el mundo busca la felicidad, y hay un medio seguro para encontrarla. Consiste en controlar nuestros pensamientos. La felicidad no depende de condiciones externas, depende de condiciones internas. No es lo que tenemos, lo que somos, dónde estamos o lo que realizamos, lo que nos hace felices o desgraciados. Es lo que pensamos acerca de todo ello.

Una sonrisa no cuesta nada, pero crea mucho. Enriquece a quienes la reciben, sin empobrecer a quienes la dan. Ocurre en un abrir y cerrar de ojos, y su recuerdo dura a veces para siempre. Nadie es tan rico que pueda pasarse sin ella, ni tan pobre que no pueda enriquecerse por sus beneficios. Una sonrisa crea la felicidad en el hogar, alienta la buena voluntad en los negocios y es el mejor antídoto contra las preocupaciones. Pero no puede ser comprada, pedida, prestada o robada, porque es algo que no rinde beneficio a nadie, a menos que sea brindada espontánea y gratuitamente.

6. Para cada persona, su nombre es el sonido más dulce e importante en cualquier idioma. Jim Farley descubrió al principio de su vida que la mayoría de los seres humanos se interesa más por su propio nombre que por todos los demás de la tierra. El solo hecho de dirigirnos a otra persona utilizando su nombre crea una mayor cercanía y diluye cualquier barrera que pueda existir. Así que has un esfuerzo por aprender los nombres de las personas con quienes tratas. La información que damos, o la pregunta que hacemos, adquieren una importancia especial cuando le agregamos el nombre de nuestro interlocutor.

7. Se un buen oyente. En un estudio realizado por la Universidad de Brigham Young, se encontró que de las diez habilidades que los gerentes consideran más importantes en el desarrollo de sus trabajos, seis están directamente relacionadas con nuestra habilidad para escuchar. Es indudable que si la boca está abierta y la lengua no está quieta, los oídos están cerrados. Cuatro de cada cinco quejas presentadas por un cliente pueden atribuirse directamente a la falta de habilidad para escuchar eficazmente, por parte de vendedores y gerentes.

En el negocio, en su afán por convertirse en buenos comunicadores, muchas personas prestan atención a su manera de hablar, pero olvidan que para que exista la comunicación deben escuchar más de lo que hablan. Saber escuchar hará mucho más por convertirte en un gran comunicador que algunas otras de las cosas que seguramente crees más importantes. En ocasiones serás el mejor comunicador del mundo, sólo por saber escuchar.

Así que anima a los demás a que hablen de sí mismos. Recuerda que la persona con quien tú hablas está cien veces más interesada en sí misma, en sus necesidades y sus problemas que en ti y en tus problemas. De igual manera, procura hablar de lo que interese a los demás. Hablar en términos de los intereses de la otra persona es beneficioso para las dos partes.

8. Haz que la otra persona se sienta importante y hazlo sinceramente. ¿Qué hay en ella que se pueda admirar sinceramente? Todos deseamos la aprobación de aquellos con quienes entramos en contacto. Queremos que se reconozcan nuestros méritos. No nos interesa escuchar adulaciones baratas, sin sinceridad, pero anhelamos una sincera apreciación. Para que la vida de una persona cambie totalmente puede bastar que alguien la haga sentir importante. Háblales a las personas de ellas mismas y te escucharán por horas.

9. Evita las discusiones y los conflictos. La única forma de salir ganando en una discusión es evitándola. ¿Para qué demostrarle a otra persona en público lo equivocada que está? ¿Has de agradarle con eso? ¿Por qué no dejarle que salve su dignidad? ¿Por qué discutir con ella? Hay que evitar siempre las discusiones bruscas. Si discutes, peleas y contradices, es posible que de vez en cuando logres un triunfo; pero será un triunfo vacío, porque jamás obtendrás la buena voluntad de la otra persona.

Primero escucha, dale a la otra persona la oportunidad de hablar, déjala terminar. Busca las áreas de acuerdo, presenta antes que nada los puntos y áreas en que están de acuerdo. Cuando dos personas gritan, no hay comunicación, sólo ruido y malas vibraciones.

Así que permite que el otro salve su propio prestigio. Aun cuando tengamos razón y la otra persona esté claramente equivocada, sólo haremos daño si la hacemos sentir mal. "No tengo derecho a decir o a hacer nada que empequeñezca a una persona ante sí misma", escribió Antoine de Saint Exupery. Lo que importa no es lo que yo piense de ella, sino lo que ella piensa de sí misma. Herir a otro ser humano en su dignidad es un crimen.

10. Demuestra respeto por las opiniones ajenas. Si tu negocio involucra el trato directo y constante con otras personas, muy pronto vas a descubrir que no todo el mundo piensa como tú, ni tienen la misma opinión o ven las cosas de la misma manera que tú las ves. Para triunfar en los negocios debemos aprender a respetar las diferencias de opinión de las demás personas, así dichas opiniones sean totalmente opuestas a lo que nosotros creemos.

En una conversación nunca empieces anunciando: "le voy a demostrar tal y tal cosa". Esto sólo logrará que quien te escucha quiera librar una batalla contigo desde antes que empieces a hablar. Si vas a demostrar algo, que no lo sepa nadie. Hazlo sutilmente, con tal destreza que nadie se dé cuenta que lo estás haciendo.

11. Si estás equivocado, admítelo rápida y enfáticamente. Una de las señales más comunes de inmadurez es la incapacidad de muchas personas de aceptar cuando se han equivocado. Si sabemos que de todas maneras se va a demostrar nuestro error, ¿no es mucho mejor ganar la delantera y reconocerlo por nuestra cuenta?

De la misma manera que cuando tenemos razón, tratamos de atraer a los demás a nuestra manera de pensar, suavemente y con tacto, cuando nos equivoquemos admitamos rápidamente nuestro error.

Habla de tus propios errores antes de criticar los de los demás. Es mucho más fácil para nosotros escuchar una evaluación de nuestros propios defectos si quien la hace empieza admitiendo humildemente que también él está lejos de la perfección. Admitir los propios errores, aun cuando uno no los haya corregido, puede ayudar a convencer al otro de la conveniencia de cambiar su conducta.

12. Trata de ver las cosas desde el punto de vista de la otra persona. Recuerda que la otra persona puede estar equivocada por completo. Pero ella no lo cree. No la censures, piensa como te sentirías tú y cómo reaccionarías si estuvieras en su lugar. Al interesarnos en las causas que han generado su postura es menos probable que nos disgusten los efectos. El buen éxito en el trato con los demás depende de que se capte con empatía el punto de vista del otro.

La conversación es mucho más productiva cuando uno muestra que considera las ideas y sentimientos de la otra persona tan importantes como los propios. El modo de alentar al interlocutor a tener la mente abierta a nuestras ideas, es iniciar la conversación dándole claras indicaciones sobre nuestras intenciones, dirigiendo lo que decimos de la misma manera como nos gustaría oírlo si estuviéramos en su lugar, y tomando siempre en consideración sus puntos de vista.

Capítulo 10

Nunca te des por vencido

Por Daniel M. Richards

*C*uando se les pregunta a aquellos empresarios que con su ingenio y pasión cambiaron la historia de la humanidad, cuál ha sido el secreto de su éxito, la respuesta que con mayor frecuencia se escucha es: ¡Persistencia!

Nadie duda que la visión es importante para triunfar en la vida, o que la disciplina es el camino para adquirir los hábitos que nos permitan materializar dicha visión, pero es la persistencia la que nos ayuda a levantarnos tras las caídas, a permanecer firmes a nuestras decisiones y a actuar con tenacidad hasta lograr los objetivos que nos hemos propuesto.

¿Qué tan importante es esta cualidad? Dejemos que sea Winston Churchill, primer ministro de Inglaterra durante una de las épocas más difíciles que debió enfrentar esa nación, quien nos ilustre sobre el gran valor de la persistencia.

En cierta ocasión en que había sido invitado a dirigirse a los alumnos de Harrow –la escuela de su infancia—, luego de ser presentado ante los cientos de oyentes que ansiosamente esperaban uno más de sus inspiradores mensajes, Churchill se levantó, tomó con una mano la solapa de su abrigo, colocó la otra mano en su espalda y pronunció uno de los discursos más breves y significativos que hayan sido pronunciados por estadista alguno.

Mirando a aquellos que serían los futuros líderes de Inglaterra, les dijo:

"Nunca, nunca se den por vencidos. Nunca se den por vencidos en nada que sea grande o pequeño, sublime o trivial. Nunca se den por vencidos. Nunca, nunca, nunca".

Tras lo cual el gran estadista miró solemnemente a sus jóvenes oyentes y volvió a sentarse sin decir más.

La tenacidad logra lo que el talento no alcanza

Al presidente estadounidense Calvin Coolidge se le atribuye una de las frases más celebres sobre la persistencia: "Nada en el mundo reemplaza la persistencia. El talento no, pues nada es más común que fracasados con gran talento. El genio no, ya que la falta de reconocimiento a la genialidad es casi proverbial. La educación no, puesto que el mundo está lleno de personas *sobre-educadas*. La persistencia y la determinación parecen siempre prevalecer".

Ahora bien, ¿qué hace que ciertas personas persistan en alcanzar aquello que se han propuesto, a pesar de enfrentar grandes reveses, múltiples caídas o adversidades que harían desistir a cualquier otro? Es indudable que de todas las cualidades que admiramos en las personas de éxito, quizás la que celebramos con mayor entusiasmo es su capacidad para persistir y no darse por vencidas.

Independientemente de que tu meta sea construir un negocio exitoso, competir en los juegos olímpicos, convertirte en un líder que influya positivamente en la vida de otras personas, o lograr algo nunca antes alcanzado por otro ser humano, ten la seguridad que el lograrlo requerirá, sobre todo, perseverancia y tenacidad.

Las grandes historias de éxito han sido historias de persistencia; hombres y mujeres que debieron perseverar aún frente a las peores circunstancias; personas que debieron levantarse una y otra vez para retomar el camino que les conduciría a la realización de sus sueños. Su tesón y su gran deseo por ver sus sueños realizados, fueron los responsables de que al fin del día pudieran saborear el dulce sabor de la victoria.

Esta idea ha inspirado a muchos a perseguir sus sueños, inclusive en contra de los consejos, augurios y pronósticos menos alentadores. Su actitud les permitió sobreponerse a grandes reveses cuando lo más sensible y lógico hubiese sido aceptar la derrota y cambiar de rumbo. En sus momentos más difíciles, la acción persistente les ayudó a mantener un alto nivel de motivación y una actitud positiva.

Curiosamente, en la persona promedio, la persistencia parece ser una de esas cualidades que va desapareciendo a medida que pasan los años. De niños, solíamos tener una gran capacidad para sobreponernos con rapidez a las caídas. No obstante, a medida que pasan los años algo extraño sucede, las dificultades comienzan a afectarnos más y más, y la recuperación es cada vez más lenta. Rehusamos intentar de nuevo o comenzamos a actuar con excesiva precaución. Nos volvemos más susceptibles a lo que los demás puedan pensar si fracasamos en nuestro intento y poco a poco vamos perdiendo la confianza en nosotros mismos.

A todo esto se suma el hecho de que si experimentamos un tropiezo, o no alcanzamos la meta que nos habíamos propuesto en la fecha que habíamos programado, nunca faltará alguien que rápidamente vendrá a nuestro lado a decirnos: "¿Ves? ¡Te lo dije! ¡Te lo advertí! Lo mejor que puedes hacer es olvidarte de todas esas fantasías de querer llegar más lejos, o alcanzar metas tan altas. Confórmate con lo que tienes y da gracias que la caída no fue mayor".

Desgraciadamente, en muchas ocasiones, basta esto para hacernos renunciar a las metas que nos habíamos propuesto. Para evitar que esto suceda debemos ser conscientes de que los fracasos sólo son el comienzo de un aprendizaje y no el final del camino. Las caídas no son mas que circunstancias que se nos presentan con el propósito de enseñarnos alguna lección. Son eventos que nos obligan a detenernos y reflexionar acerca de los medios que estamos utilizando para lograr nuestros propósitos.

Es importante no confundir fracaso con fracasado. El fracaso puede ser nuestro mejor aliado para alcanzar nuestras metas, ya que nuestros errores nos dan la oportunidad de aprender y crecer. El verdadero fracasado es aquel que decide identificarse con su error, se adueña de él y lo utiliza como excusa para justificar su retirada.

Como verás, los grandes triunfadores han sido personas que experimentaron muchas más caídas y fracasos que otros. No obstante, ellos no se dieron por vencidos y no permitieron que sus circunstancias, por precarias que fueran, se convirtieran en obstáculos para lograr sus metas.

Por supuesto que muchos de ellos pensaron en renunciar en algún momento, pero aún en esos momentos de duda se mantuvieron firmes en su propósito. El escritor Rudyard Kipling escribió un hermoso poema sobre el verdadero poder de la persistencia. En él encontrarás la esencia del espíritu persistente y tenaz que caracteriza a las personas de éxito:

Cuando vayan mal las cosas como a veces suelen ir,cuando ofrezca tu camino sólo cuestas que subir, cuando ya el dolor te agobie y no puedas ya seguir, descansar acaso debas, pero nunca desistir.

Tras las sombras de la duda, tan oscuras y sombrías, puede bien surgir el triunfo, y no el fracaso que temías, y es posible que descubras con sorpresa cuan cercano, puede estar el bien que anhelas y que crees tan lejano.

Lucha, pues por más que tengas en la vida que sufrir.

Cuando todo esté peor, ¡más debemos insistir!

Tu atributo personal más grande es tu voluntad y decisión para mantenerte al frente de cualquier empresa o aventura que decidas emprender mucho más tiempo del que cualquier otra persona estaría dispuesta a hacerlo. Y en ninguna otra área es esto tan cierto y fácil de apreciar como en el mundo de los negocios.

Los empresarios que triunfan no son necesariamente los más preparados o los más hábiles, ni son los que más capital tienen a su disposición, sino los que están dispuestos a perseverar en el logro de sus metas. Aquellos para quienes darse por vencidos no es una opción; quienes se levantan después de cada caída con una mayor determinación de triunfar.

La persistencia es la cualidad que convierte pobres ideas en ideas extraordinarias y hace de personas comunes y corrientes empresarios habilidosos y triunfadores. Quizás por esto, el presidente de los Estados Unidos, Teodoro Roosevelt, nos recordaba que: "el crédito pertenece a los hombres y mujeres en el campo de batalla cuyas caras están marcadas por el polvo, el sudor y la sangre. A quienes luchan valientemente, a quienes yerran y caen una y otra vez; poseedores de gran entusiasmo y devoción. A quienes han dedicado sus vidas a la persecución de una causa justa. A quienes en sus mejores momentos han probado el dulce sabor de la victoria, y en sus peores momentos si caen, caen intentando alcanzar grandes metas, de manera que su lugar en la historia nunca sea al lado de aquellas frías y tímidas almas que no conocieron victoria o derrota alguna".

EPÍLOGO

*E*s fácil apreciar porque hemos denominado estas diez ideas para construir un negocio exitoso como "reglas inquebrantables". Es indudable, como lo mencionan estos grandes autores, que la calidad de vida o el nivel de éxito en los negocios que experimentemos tienen poco que ver con las circunstancias que podamos estar enfrentando y mucho con nuestra actitud personal y nuestra manera de pensar.

Es indudable, como lo expresara J. Paul Getty, que existe una manera de pensar que les brinda a ciertas personas una mejor opción de triunfar. Lo importante es que todos podemos elegir pensar de dicha manera. No obstante, como escribe Mark A. Peale, la principal razón por la cual muchos negocios fracasan nos es porque quienes los empezaron no cuenten con las habilidades necesarias para triunfar, sino porque no creen contar con dichas aptitudes. Pueden ser grandes empresarios en potencia, como lo afirma Emerson, pero nunca lo sabrán a menos que confíen en sí mismos y actúen con decisión.

El Dr. Camilo Cruz cita con frecuencia una frase del industrial norteamericano J.C. Penney que dice: "muéstrame un obrero con grandes sueños y en él encontrarás un hombre que puede cambiar la historia. Muéstrame un hombre sin sueños y en él hallarás a un simple obrero".

Si hay una idea sobre la cual todos estos grandes autores hicieron énfasis es la importancia de tener grandes sueños. Tanto así que Napoleon Hill y Orison Marden nos imploran que nunca abandonemos nuestros sueños y deseos de triunfar, y que no permitamos que el entusiasmo con que empezamos nuestro negocio se marchite. Esperamos que esta obra sirva de ayuda para mantener esos sueños vivos y ese deseo de triunfar siempre ardiente.

Herramientas para Triunfadores

El Factor X
El poder de la acción enfocada
Camilo Cruz
ISBN: 1-607380-00-5

¿Te has preguntado cómo transcurriría tu día, si pudieras identificar, con absoluta certeza, aquellas actividades que agregarán mayor valor a tu vida y pudieras enfocar en ellas todo tu esfuerzo? Imagínate poder eliminar la multitud de trivialidades que congestionan tu día, y poder dedicar tu tiempo a lo verdaderamente importante. ¿Qué sucedería si antes de tomar cualquier decisión o salir tras cualquier meta, pudieras identificar, sin temor a equivocarte, el camino que debes seguir; aquel que te permitirá disfrutar niveles de éxito, felicidad y prosperidad, que nunca has imaginado?

Esa habilidad para determinar la actividad adecuada, el sueño ideal o el camino indicado a seguir, de entre todas las opciones que podamos tener a nuestra disposición, es lo que el Dr. Camilo Cruz llama: El Factor X. Este descubrimiento extraordinario nos ayuda a dirigir nuestras acciones, de manera que tengamos siempre la certeza de estar trabajando en aquello que es realmente importante en nuestra vida.

Herramientas para Triunfadores

La Ley de la Atracción
Camilo Cruz
ISBN: 1-931059-39-X

La ley de atracción establece que todo atrae su igual. Nosotros atraemos hacia nuestra vida aquello en lo que enfocamos nuestro pensamiento de manera constante. Nuestro mundo exterior es un reflejo de nuestro mundo interno, ya que nosotros mismos nos hemos encargado de crear nuestras circunstancias externas, condiciones, nivel de éxito, negocios y destino en virtud de los pensamientos que guardamos en nuestra mente.

La buena noticia es que si en este momento no estamos viviendo la clase de vida que siempre hemos deseado, podemos crear una nueva realidad cambiando el tipo de información con la cual alimentamos nuestra mente. Los principios de la ley de la atracción presentados en esta obra, son sin duda el camino más corto y efectivo para crear mejores relaciones, un nivel óptimo de salud, negocios exitosos y gran prosperidad en tu vida.

Herramientas para Triunfadores

Si el éxito es un juego, éstas son las reglas
Chérie Carter-Scott
ISBN: 1-607380-01-3

Contrario a la creencia popular, el éxito no consiste simplemente en hacerse rico y famoso. Chérie Carter-Scott, Ph.D., afirma que todo el mundo tiene su propia definición personal de éxito y esto puede implicar, en algunos casos, tener su propio negocio, criar hijos felices y saludables, tener más tiempo libre, conseguir buenas calificaciones en los estudios o llegar a ser presidente. En este libro, "Si el éxito es un juego, éstas son las reglas", Chérie aborda los temas que conducen a llevar una vida plena. Ella le ayudará a definir lo que el éxito significa para usted, y luego, en diez reglas simples, le indicará cómo alcanzarlo. Ilustrado con historias motivadoras y escrito con el tono cálido y atrayente de Chérie, el libro "Si el éxito es un juego, éstas son las reglas", es la guía perfecta para su viaje en la búsqueda de la realización de sus sueños.

Chérie Carter-Scott, Ph.D., es autora del libro número uno en ventas del New York Times, "Si la vida es un juego, éstas son las reglas", es conferencista en temas de motivación, agente de cambios organizacionales, consultora, y autora de otros siete libros. La doctora Carter-Scott vive en Nevada con su esposo Michael.

Herramientas para Triunfadores

La Vaca
Dr. Camilo Cruz
ISBN: 1-931059-63-2

En el libro La Vaca del Dr. Camilo Cruz, la vaca representa toda excusa, miedo, justificación o pretexto que no les permite a las personas desarrollar su potencial al máximo y les impide utilizar el máximo de su potencial para construir empresas exitosas.

De acuerdo al Dr. Cruz "El verdadero enemigo del éxito no es el fracaso, como muchos piensan, sino el conformismo y la mediocridad. Todos cargamos con más vacas de las que estamos dispuestos a admitir; ideas con las cuales tratamos de convencernos a nosotros mismos y a los demás que la situación no está tan mal como parece; excusas que ni nosotros mismos creemos, con las que pretendemos explicar por qué no hemos hecho lo que sabemos que tenemos que hacer".

El doctor Camilo Cruz, es considerado como uno de los escritores de mayor trascendencia en nuestro continente en el campo del desarrollo personal y el liderazgo. Sus más de 30 obras, con ventas de más de un millón de ejemplares, lo han convertido en uno de los escritores latinos más prolíficos en los Estados Unidos. Su libro La Vaca recibió el Latino Book Award, como el mejor libro de desarrollo personal en español en los Estados Unidos.

Herramientas para Triunfadores

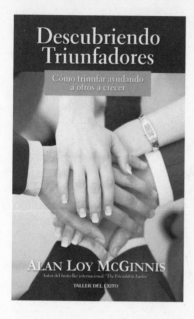

Descubriendo Triunfadores
Alan Loy McGinnis
ISBN: 1-931059-23-3

En el proceso de escribir este libro, Alan Loy McGinnis estudio distintas temáticas. Estudio los grandes líderes de la historia y aquellas características especiales en ellos, estudio varias organizaciones y empresas que se caracterizaban por ser las más efectivas y estudio las teorías motivacionales de algunos de los más importantes psicólogos de la actualidad.

Utilizando casos de estudio y anécdotas fascinantes, el autor nos explica cómo podemos cada uno de nosotros poner en práctica doce principios en cada una de las áreas de nuestra vida, y obtener de esta manera, la satisfacción que viene de desarrollar el potencial en aquellos que están a nuestro alrededor.

El Dr. Alan Loy McGinnis es un autor de libros bestseller, terapista familiar, consultor de negocios y conferencista internacional. Es co-director de Valley Counseling Center en Glendale, California, y es el autor de más de 50 artículos y varios libros, incluyendo: El Factor Amistad (The Friendship Factor) y Confianza (Confidence)